VIVRE SA VIE...
JUSQU'AU BOUT !

Soyez toujours prêts
à rendre compte
de l'ESPÉRANCE qui est en vous
devant quiconque vous le demande.

(I P 3, 15)

Jules Beaulac

VIVRE SA VIE...
JUSQU'AU BOUT!

NOVALIS

Vivre sa vie... jusqu'au bout !
© 1979 Jules Beaulac
© 1979 Novalis

Dessins : Toby McGivern

Dépôt légal : 1er trimestre 1979
Bibliothèque nationale du Canada
Bibliothèque nationale du Québec

NOVALIS, 375 Rideau, Ottawa   K1N 5Y7

ISBN : 0-88587-048-4

NOVALIS

À ma mère,
qui très tôt,
m'a appris à voir Dieu
au fil de ma vie.

Tu connais sans doute
　　　des sous-bois de fraîcheur
et des jardins de toutes les couleurs.

Quand tu t'y promènes,
　　　tu marches à ton goût,
　　　　　　à ta vitesse,
tu t'arrêtes aussi selon ton bon plaisir.

Tu t'asseois à l'ombre d'un grand chêne
　　　pour savourer son ombrage,
tu respires le parfum des violettes,
tu contemples la beauté des roses,
tu prends ici ou là un fruit que tu dégustes,
tu écoutes le chant des oiseaux...

Parfois, tu cueilles une fleur
　　　et tu la fixes à ta boutonnière;
parfois, tu te fais un beau bouquet
　　　que tu agrafes à ton corsage.

C'est un peu comme cela
　　　que j'aimerais te voir parcourir ce livre:
　ici, tu glaneras le texte
　　　qui aura du goût pour toi;
　　là, tu choisiras le mot
　　　qui peut embellir ta vie,
　　　　　ensoleiller ta journée.

Il ne faut surtout pas consommer ce livre à la suite:
tu en serais vite saturé!

Déguste-le à ton goût,
　　　à ta vitesse,
　　　à tes besoins.

Peut-être t'aidera-t-il à aimer et... à VIVRE!

La vie... un miroir

Depuis quelque temps,
    quand elle se lève le matin,
    et qu'elle fait sa toilette devant son miroir,
Antoinette s'est mise à remarquer l'image qu'il lui renvoie.

Certains jours, c'est une mine réjouie, souriante,
    qu'elle voit.
D'autres jours, c'est un visage défait, fade ou désabusé,
    que sa glace réfléchit.
Elle a surtout constaté
    comme la première image d'elle-même
influence toute sa journée.

Si elle se sourit le matin,
    cela lui donne confiance
      et l'encourage
        à bien passer le jour qui commence.
Si, au contraire, c'est une bouche en accent circonflexe
    qu'elle voit dans sa glace,
    elle sait qu'elle s'engage
      dans une journée lourde et oppressante.
Eh oui! son miroir l'influence!
    ou plutôt l'image qu'il lui renvoie!
« Antoinette, ma vieille, se dit-elle,
    il te faut pratiquer l'art du reflet positif,
      d'abord pour toi-même. »

Mais, de jour en jour,
Antoinette s'aperçut vite
    que le reflet positif était
      très bon
    pour les autres aussi.
Elle remarqua qu'elle était un miroir pour eux,
    comme ils en étaient un pour elle...
    et bien plus transparent
que la glace de sa salle de toilette!

Elle observa
  comme les autres reflétaient souvent
    ce qu'elle leur offrait.
Si elle leur donnait son sourire,
  elle courait de bonnes chances qu'ils le lui rendent.
Si elle faisait des cadeaux,
  on lui en offrait.
Si elle ne donnait rien,
  elle n'avait pas à se plaindre de ne rien recevoir.
Si elle faisait confiance,
  on lui faisait confiance.
Si elle se méfiait de tous,
  elle ne se surprenait pas que tous se méfient d'elle.
Si elle disait des bêtises,
  elle affrontait la tempête.
Si elle faisait des bêtises,
  on lui faisait la guerre.
Si elle semait la bonté,
  elle récoltait la tendresse.
Si elle pardonnait,
  on fermait les yeux sur ses fautes.
Si elle était triste,
  on n'éclatait pas de rire devant elle.

Elle remarqua aussi
  comme elle reflétait souvent
    ce que les autres lui offraient.
On la provoquait,
  et elle était sitôt toutes griffes dehors.
On lui offrait une fleur,
  et elle était disposée à tout donner.
On lui donnait de l'amour,
  et voilà qu'elle en avait à revendre.
On la critiquait, on la jugeait,
  et elle répliquait en noircissant ses juges.
On l'invitait à dîner,
  elle recevait à souper.
On l'injuriait,
  elle ripostait bien vite.
On partageait avec elle,
  spontanément elle faisait de même.

Tout est affaire de reflet !
Les hommes sont miroirs pour les hommes !
Et les femmes aussi !
La vie est une glace où se mire l'humanité !

Ne jugez pas, et on ne vous jugera pas;
Ne condamnez pas, et vous ne serez pas condamnés;
Acquittez, et vous serez acquittés;
Donnez, et l'on vous donnera.

(Lc 6, 37-38)

C'est la mesure dont vous vous servez
qui servira de mesure pour vous.

(Mc 4, 24)

Pardonne-nous nos torts envers toi,
comme nous-mêmes nous avons pardonné
à ceux qui avaient des torts envers nous.

(Mt 6, 12)

Seigneur,
que je renvoie une bonne image aux gens
quand ils me regardent,
quand ils me parlent,
quand ils travaillent avec moi,
quand ils m'aiment;
que je reflète une image positive
au travail
à la maison...
aux loisirs...
afin que les gens soient le plus heureux possible !

Aide-moi aussi, Seigneur,
à lire un reflet positif chez les gens
qui m'aiment,
qui me détestent même,
qui dépendent de moi,
qui travaillent avec moi;
aide-moi à découvrir l'image
que les gens veulent me renvoyer.
Oui, que je pratique l'art du reflet positif,
celui que je donne et celui que je reçois !
Amen.

Prière du matin

Seigneur,
  une nouvelle journée va commencer,
    avec ses joies et ses peines,
      ses succès et ses échecs.
J'ai la tête pleine de projets,
  et le cœur plein d'amour.
Je sais, pour l'avoir éprouvé tant de fois,
  que je ne réaliserai pas la moitié de mes projets,
et que je n'aimerai pas à la moitié de ce que je voudrais...

Bénis ce que je réussirai à faire
  et pardonne ma paresse
    ou ma trop grande ambition.
Que l'affection que je donnerai au long du jour
  soit pure,
et d'avance pardonne les faiblesses de mon cœur.

Donne-moi assez de foi
  pour Te reconnaître dans mes frères
    dans mes sœurs.
Et donne-leur assez d'espérance
pour Te chercher en moi.

Fais de moi aujourd'hui
  un artisan de paix.
Que je travaille pour Toi
à travers mes travaux.

Seigneur, bénis ma journée.
  Amen.

La grandeur

Ce qui fait la grandeur d'une vie,
ce n'est pas nécessairement
la grandeur des actions que l'on pose ;
    c'est bien plus
        la grandeur d'âme et de cœur
            que l'on met dans ses actions,
            petites ou grandes .

Seigneur,
    plein de puissance et de miséricorde,
  ne laisse pas le souci de nos tâches présentes
    entraver notre marche à la rencontre de ton Fils;

mais,
éveille en nous
    l'intelligence du cœur
        qui nous prépare à L'accueillir
                et
                à entrer dans sa vie.
    Amen.

(Prière du deuxième dimanche de l'Avent)

La lumière

La lumière !

Qui n'a pas besoin de lumière ?
Qui ne rêve pas d'être lumineux ?

Les hommes sont comme les plantes :
    pour grandir,
il leur faut de la lumière.

Nous cherchons tous à nous éclairer :
    avec un petit fanal
ou une puissante dynamo !

Certains ont trouvé leur éclairage
    dans le partage,
        la science,
    dans le Christ.
D'autres le cherchent encore
    à tâtons,
    courageusement.
D'autres sont carrément dans les ténèbres :
    égoïsme,
    ambition,
irrespect de la vie…
Devenir lumineux
plutôt qu'éteignoir !

Ta lumière jaillira
    comme l'aurore.

(Is 58, 8)

L'écouteuse...

C'est une femme bien ordinaire:
elle a pour tout diplôme
son bulletin de sixième année
et son plus beau parchemin
est son certificat de communion solennelle!
Elle a élevé sa famille,
ses six enfants,
tranquillement,
doucement,
humblement.
Aujourd'hui,
ils sont mariés,
ils ont des enfants,
ils sont « bien placés », comme elle dit.
Elle vit toute seule
dans sa grande maison.
Son mari est mort il y a trois ans.

Mais, elle n'est jamais seule!
son téléphone ne dérougit pas:
ce n'est pas elle qui téléphone,
oh non! car elle ne veut pas déranger.
mais tout le monde l'appelle:
les enfants,
les gendres, les brus,
les petits-enfants!
pour tout, pour rien.
et elle écoute
patiemment
pendant des heures.

Et puis,
ils viennent la visiter:
ils se racontent,
ils demandent conseil...

elle écoute tout,
          tous,
            toujours !
Tout le monde la trouve intéressante...
      c'est peut-être qu'elle s'intéresse à eux...!
Elle en a appris des choses :
      bonheurs et malheurs,
      caprices et misères,
      secrets profonds...
Tout le monde a confiance en elle :
      pourtant, elle parle peu...
              elle conseille rarement...
      elle écoute... un point, c'est tout.
        sans jamais se lasser.
        et, à mesure que l'autre lui parle,
          il trouve à travers son attention,
              sa bonté,
              son affection,
        la réponse à ses questions,
        la solution à ses problèmes.

Et à la fin de la journée,
      avant d'aller dormir,
      assise dans sa berceuse,
      en pensant à tous ceux qu'elle a écoutés
        tout au long du jour,
      elle égrène pieusement
        son chapelet
        devant une image de la madone.
C'est là qu'elle puise sa force d'accueil,
          sa capacité d'attention,
           son amour profond des autres.
C'est là, dans sa prière de pauvre,
      dans sa foi toute simple,
      que son amour se renouvelle constamment,
              merveilleusement !

Ô Dieu,
chaque fois que je te prie,
je sais que tu m'écoutes...

Tu es le grand écoutant !

Donne-moi de penser à te prier...
Que je pense à te donner la chance de m'écouter...!

Ô Dieu,
donne-nous de rencontrer sur notre route
des personnes qui écoutent :
c'est si précieux et c'est si rare !
Et, si tu le veux,
que nous soyons à notre tour
écouteurs pour ceux qui en ont besoin !
Amen.

Les autres...

Qui a dit :
« L'enfer, c'est les autres » ?

Et si les autres,
ça pouvait aussi être le ciel !

Aimez vos ennemis,
faites du bien à ceux qui vous haïssent,
bénissez ceux qui vous maudissent,
priez pour ceux qui vous calomnient.

Alors,
votre récompense sera grande dans le ciel
et
vous serez les fils du Très-Haut.

(Lc 6, 27-28. 35)

Pardonner...

Tu connais, comme moi,
    des gens qui DONNENT
        de leur argent,
        de leurs biens,
        de leur temps...
Ces personnes
    susciteront toujours notre
        admiration,
    provoqueront toujours notre
        envie,
    nous attireront toujours.
Quelqu'un qui *donne,*
    c'est quelqu'un
        de magnifique,
        de grand!

Tu connais, comme moi,
    des gens qui SE DONNENT:
        affection,
        tendresse,
        bonté,
        santé;
    des gens qui n'hésitent pas
        à s'oublier,
        à sacrifier leurs intérêts,
    pour une cause qui leur est chère,
    pour des personnes qui leur tiennent à cœur.
Donner... c'est bien!
Se donner... c'est mieux,
    mais c'est plus difficile,
        plus exigeant!
Les personnes qui se donnent
    nous interrogeront toujours,
    nous dérangeront toujours,
    nous appelleront toujours.

J'aime et j'admire
       les personnes qui donnent,
mais,
j'aime et j'admire davantage
       les personnes qui *se donnent*.

Mais il y a plus...
       est-ce possible?
Il y a les gens qui PAR-DONNENT!
       qui ferment les yeux,
                   les oreilles,
                   la bouche,
       sur le mal qui leur est fait;
       mais qui ne ferment jamais
                   leurs mains,
                   leur cœur!
Ces personnes
       ne font pas simplement
             quelque chose de magnifique,
                         de grand
non,
elles font quelque chose de *divin*.
Voilà ce qui est bon par-dessus tout!

Oui, l'amour n'a pas de limites!
       il donne,
       il se donne,
       il pardonne.
Il nous sollicite...!

Dieu est amour.
       (I Jn 4, 8)

Soyez parfaits comme votre Père céleste est parfait.
                   (Mt 5, 48)

Prière avant le travail

Seigneur,
>> dans un moment,
je vais entrer au travail.

Je vais retrouver là
>> Élisabeth qui est très nerveuse de ce temps-ci,
>> Victor qui a tendance à vouloir tout mener,
>> Julien qui supporte mal la taquinerie,
>> Géraldine qui est bien lente au travail.

Donne-moi d'être
>> calme avec Élisabeth,
>> compréhensif avec Victor,
>> prévenant avec Julien,
>> patient avec Géraldine.
Donne-moi surtout de voir
>> le dévouement d'Élisabeth,
>> l'esprit d'initiative de Victor,
>> la disponibilité de Julien,
>> la perfection du travail de Géraldine.

Donne-leur
>> la capacité et l'amour de m'endurer,
>> car moi non plus je ne suis pas parfait,
tu le sais mieux que personne !

Donne-nous à tous
>> de nous aider les uns les autres,
>> de nous aimer mieux de jour en jour,
>> afin que,
>> par notre travail et notre amitié,
>> ton Visage soit mieux connu et aimé
>> et
>> le monde se porte mieux.
>> Amen.

Jean-François

Au volant de sa voiture,
    Jean-François s'en va à son travail.
Il est 8 h 15 a.m.
La radio lui réjouit les oreilles et le cœur
    d'un concerto de Mozart;
La campagne, qu'il traverse, lui remplit les yeux
    de paysages champêtres:
        les blés qui ondulent,
        les vaches qui paissent...
    et ses narines hument des parfums âcres ou subtils:
        le trèfle fraîchement coupé,
        le sarrazin,
        le fumier...
Jean-François « flotte » légèrement et allègrement...
    il a des oiseaux dans le cœur,
        des papillons dans les yeux,
        une harpe au bout des doigts,
        des petits chevaux blancs dans les pieds...
    bref, il savoure un vague-à-l'âme
tout à fait délicieux !

Aujourd'hui, il se sent
    de taille à affronter tous les problèmes,
    d'ardeur à accomplir toutes les tâches,
    d'enthousiasme à en donner à tout le monde.
Il est prêt
    à apporter sa contribution à la « construction du monde »,
        comme il a entendu dire quelque part ...
Que le temps est beau !
Que la journée sera bonne !
Jean-François a le cœur
    au septième ciel.

Mais voilà que,
            sans trop s'en apercevoir,
      Jean-François a quitté la campagne
            et se retrouve à l'entrée du pont de la métropole.
Embouteillage!
      l'auto de Jean-François est prise
            dans un goulot,
            dans un étau.
À sa droite,
      le bruit du moteur d'un lourd camion
            a depuis longtemps assassiné Mozart.
À sa gauche,
      le tuyau d'échappement d'une limousine
            a engloutit à jamais les parfums
                  du trèfle,
                  du sarrazin,
                  et même du fumier.
Jean-François
      ne voit plus le vert des prés,
                  la blancheur des marguerites,
                  la paix des troupeaux.
Devant lui,
derrière lui,
      c'est de l'acier,
      c'est du béton...
            à perte de vue!
      c'est du bruit...
            à perte d'ouïe!
      c'est du monoxyde de carbone...
            à perte d'odorat!
Jean-François est écrasé...
                  halluciné...
                  intoxiqué.
Il relève les vitres de sa voiture...
            peine perdue... il étouffe.
Son véhicule avance au pouce,
son moteur chauffe... et lui aussi.

Dieu,
    l'enfer ne peut être pire !
Maudite pollution !
Il quitte le pont à 9 h 30.
Il arrive à son bureau
        à bout de souffle,
        à bout de patience,
        à bout de nerfs.

Ainsi va la vie !
        Des jours de soleil,
            des jours de nuages !
        Des nuits de clair de lune,
            des nuits d'encre !
        De la joie,
            de la tristesse !
        De l'enthousiasme,
            du dégoût ...!

Courage ! Jean-François.
        Le ciel parfois est bleu,
d'autres fois gris.
    Mais le vrai ciel est dans ton cœur ...
        et il appartient à toi,
            et à toi seul,
                qu'il soit bleu ...
malgré la pollution !
Tant il est vrai que nous sommes
        les premiers artisans
            de notre bonheur
            ou
            de notre malheur !

Combats...

Les pires ennemis
     que nous avons à affronter dans la vie
ne sont pas ceux du dehors,
     qu'ils s'appellent
          compétiteurs,
          jaloux,
          hypocrites,
          menteurs,
     ou colériques,
          vindicatifs,
          flatteurs,
          railleurs...

Non, les pires ennemis
     sont ceux du dedans.
       ils se nomment
         orgueuil,
         entêtement,
         aveuglement,
         égoïsme,
         suffisance,
     ou   désespoir,
         découragement,
         abandon,
         lâcheté,
         paresse ...

Contre ceux-là
Dieu seul peut combattre avec nous!

Béni soit le Seigneur, mon rocher,
     qui entraîne mes mains pour le combat,
mes poings pour la bataille!

Il est mon allié, ma forteresse,
     ma citadelle et mon libérateur.

(Ps 144, 1-2)

Une vie pleine...

Avoir une vie pleine !
Tout le monde aspire à cela.
Qu'est-ce à dire ?

Un porte-feuille bien rempli ?
Une renommée internationale ?
Un pouvoir considérable ?
De la santé jusqu'au dernier jour ?...

As-tu déjà pensé qu'une vie pleine,
    c'est peut-être d'abord une affaire de cœur ?
Si ton cœur est plein
    de services rendus,
    de partages accomplis,
    de pardons donnés,
    de disponibilités constantes...
Si ton cœur est
    dans ta main,
    dans ta tête,
    dans tes pieds...
Si ton cœur sait
    donner ton temps,
    dispenser tes énergies...
Si ton cœur se fait
    regard attendri,
    écoute attentive,
    parole vivifiante...
Si ton cœur est capable
    d'encourager, stimuler, dynamiser,
    de souffrir, compatir, consoler...

Si ton cœur peut
    rire et pleurer,
    chanter et crier,
    parler et se taire...

Alors, ta vie est pleine,
    que ton portefeuille soit plat ou non !
    que ton nom soit dans tous les journaux ou non !
    que tu sois puissant ou bien faible !
    que tu sois malade ou pas !

On ne voit bien
qu'avec les yeux du cœur...
l'essentiel est invisible !
          (Saint-Exupéry)

Puisse Dieu illuminer
les yeux de votre cœur.
          (Éph 1, 18)

Édouard...

Édouard a trimé dur toute sa vie:
    du lundi au vendredi,
    de sept heures du matin à six heures du soir,
il a fait de la « maintenance »
dans une manufacture de textiles.

Édouard a fait un travail humble toute sa vie:
    jamais le journal n'a publié sa photo,
    jamais la radio n'a parlé de lui,
    jamais la télé ne l'a montré au petit écran.

Une seule fois, à l'usine,
    on l'a fêté.
Ça faisait vingt-cinq ans qu'il travaillait.
    le « boss » a fait un petit discours
        et lui a donné une médaille-souvenir!
    Édouard a pleuré.
Puis, le lendemain,
    il a repris son travail
comme si de rien n'était.

À force d'économies,
    Édouard s'est mis de côté
        un petit « magot », comme il dit,
            pour sa retraite.
Oh! rien d'extraordinaire!
    il n'ira pas en Floride ou en Europe;
    mais il achèvera sa vie
        tranquillement,
        avec Irma, sa femme,
            si vaillante,
            si aimante,
        avec ses huit enfants
            et ses onze petits-enfants, déjà!
C'est là qu'est sa véritable fortune,
        sa vraie gloire,
        sa grande fierté,
      sa famille,
      sa magnifique famille!

Depuis neuf mois,
Édouard est à sa retraite.

Au début, ce fut une belle retraite.
        Édouard savourait l'affection des siens
et prenait le temps de vivre!

Puis, après trois mois de retraite,
        il fut pris de maux de tête interminables.
Il n'en parla pas tout d'abord,
        pour n'énerver personne
        et espérant que « ça se passerait ».
Mais ça ne « se passait » pas.
Lui qui n'avait jamais été malade
        se retrouva « chez le docteur ».
Examens, tests de laboratoire:
        on ne découvrit rien!
Il revint chez lui
        bardé de bons conseils médicaux
        et armé de pilules.
Il vivota deux autres mois:
        amaigri,
        grincheux,
        maussade,
        casanier.
Puis, Irma décida qu'on irait voir un spécialiste
        à la grande ville.
Radio du cerveau et encéphalogramme:
        Édouard avait une belle tumeur.
On tenta l'opération: trop tard!

Édouard est un homme fini.
Il attend la fin.
Sa femme, ses enfants, ses amis,
        se disent: « Pourquoi?
                        Y a-t-il une justice ici-bas?

Édouard ne méritait pas ça! »
                Devant des questions aussi fondamentales,
        devant des situations aussi radicales,

où trouver des réponses?
où trouver réconfort et espoir?
La route de la vie
est-elle impasse,
cul-de-sac?
Ou bien y a-t-il une issue,
une sortie?
pour Édouard,
pour les siens?

Lentement,
péniblement,
mais résolument,
ils se sont engagés dans une nouvelle voie:
ça n'est pas possible qu'il n'y ait
rien
après…!
il faut qu'il y ait
quelque chose!
de la lumière après la ténèbre,
de la joie après la tristesse,
de l'union après la séparation!

Et l'espoir, malgré tout,
est né dans le cœur d'Édouard et de sa famille,
un espoir au-delà du mal,
de la souffrance,
de la mort!
un espoir qui peu à peu se transforme en espérance,
qui s'appuie sur Celui qui a dit:
« Je suis la Vie ».

Je suis la Résurrection
et la Vie:
celui qui croit en moi,
même s'il meurt,
VIVRA;
et quiconque vit et croit en moi
ne mourra jamais.

(Jn 11, 25-26)

Soyez toujours prêts
à rendre compte
    de votre espérance
      devant quiconque vous le demande.

(I Pt 3, 15)

Nous ne voulons pas,
    frères,
vous laisser dans l'ignorance
    au sujet des morts,
afin que vous ne soyez pas dans la tristesse
    comme les autres
      qui n'ont pas d'espérance.

(I Th 4, 13)

Le petit Sébastien...

Le petit Sébastien
    courait après son chien, Zibou,
        qui, lui, courait un peu partout.
Zibou traversa la rue
et se retrouva dans les plates-bandes de la voisine.

Sébastien, lui aussi, traversa la rue
    et, à son tour, piétina quelques pensées,
        écrasa quelques œillets,
        cassa quelques capucines.

La voisine, qui aimait bien ses fleurs,
    raconta le tout à son mari
quand il revint de son travail.

Le mari, qui aimait bien sa femme,
    s'en prit à Sébastien,
        qui avait encore traversé la rue,
cette fois pour aller chercher sa balle.

Le petit Sébastien,
    effrayé par la voix menaçante du voisin,
    se mit à pleurer:
il rentra chez lui le cœur bien gros.

Le papa de Sébastien, qui aimait bien son fils,
    traversa la rue,
    et alla dire son fait au mari de la voisine:
ce fut une belle engueulade!

Chacun défendit son amour:
    le papa, son Sébastien!
    le mari, sa femme!
    la femme, ses fleurs!
    Sébastien, son chien!

Finalement, on eut assez de bon sens
    pour saisir le ridicule de la situation.

L'amitié entre voisins,
l'amour d'un enfant,
valent bien plus que quelques fleurs.

Vous tous,
en esprit d'union,
dans la compassion,
    l'amour fraternel,
    la miséricorde,
    l'esprit d'humilité,
ne rendez pas le mal pour le mal,
l'insulte pour l'insulte.

Au contraire,
    bénissez,
    car c'est à cela que vous avez été appelés.

(I Pt 3, 8-9)

L'esseulé...

C'était durant la soirée,
    quelque temps après le souper.
Le soleil était encore haut dans le ciel,
    mais ses rayons dardaient moins fort.
J'étais à genoux dans mes plates-bandes
à travailler dans mes fleurs...

Il arriva sans que je m'en aperçoive...
Il se tenait là debout à côté de moi,
il me regardait nettoyer l'allée.
Il devait avoir dans les vingt-cinq ans...
je ne l'avais jamais vu.
« Bonjour! je peux faire quelque chose pour vous? »
« Non, Merci! j'ai seulement besoin d'être avec quelqu'un! »
« Voulez-vous un café? de l'eau? »
« Non, non, ne parlez pas, continuez de travailler,
j'ai seulement besoin d'être à côté de quelqu'un! »

Je repris mon travail.
Il resta là près de moi tout simplement.
Quand j'entrai dans ma maison,
    il me demanda s'il pouvait me suivre,
« Bien sûr! » lui dis-je.
Il s'assit dans la berceuse de la cuisine,
    et il se berça de longues minutes,
    le temps de me laver les mains
et de fumer une bonne pipe.

Puis, soudain, il se leva,
    il me serra la main
    et il me dit: « Merci beaucoup! »
Et il repartit pour je ne sais où.

Qui dira le secret de ce jeune homme?
        chagrin d'amour?
        tristesse de la vie... si jeune?
        solitude insupportable?
        découragement?
        ou simple curiosité?
Qui sait?
Puisse son passage chez moi l'avoir aidé!
Et que la paix l'habite toujours!

Martine, Marco et Johanne

Martine est fleuriste dans le voisinage.

Si vous aimez les plantes,
 allez visiter son magasin :
 vous serez enchantés.
Des fleurs partout et de partout,
 des plantes qui poussent en beauté,
 une véritable symphonie de couleurs et de parfums,
 une sorte de petit paradis terrestre.

Il m'arrive souvent de me retrouver dans son paradis.
De temps en temps,
 Martine me tire la manche
 et m'amène derrière son comptoir :
  « Tu vois ces plantes ?
  les veux-tu ?
  apporte-les !
  elles ne sont plus vendables. »
Et Martine m'offre
 des fleurs un peu fanées,
 des feuilles cassées,
 des troncs piqués...

Alors, je les apporte chez moi,
 et j'essaie de les réchapper...
 et j'y réussis quelquefois !

Marco est un original,
 c'est du moins ce que plusieurs de ses voisins pensent.
Il y a de quoi !
D'accord avec Lucie, sa femme,
 il a choisi d'héberger chez lui
  un jeune prisonnier,
  détenu dans un milieu carcéral des environs.
Ils sont devenus
un « foyer de réhabilitation » pour ex-détenus.

Jean-Louis,
        depuis qu'il vit chez eux,
    n'a pas commis de nouveaux vols :
      il semble en bonne voie de « réhabilitation » :
         il a trouvé en Marco et Lucie
              des personnes qui l'aiment,
              des amis qui lui font confiance :
        il grandit !

Johanne est une autre « originale ».
Elle vit dans une coquette maison
        près d'un hôpital psychiatrique.
D'accord avec son mari, Jean-Luc,
      elle donne l'hospitalité,
         depuis six mois,
            à Élisabeth, une malade mentale.
Foyers d'accueil,
      qui ont fait boule-de-neige dans sa localité,
         au grand malaise des autorités
         et de certains voisins !
Mais, depuis qu'Élisabeth est chez Johanne,
      elle ne fait plus de crises :
      elle se sent aimée pour elle-même
      et telle qu'elle est .

Le juste poussera comme un palmier;
il grandira comme un cèdre du Liban.
(Ps 92, 13)

Les hommes
sont comme les arbres :
ils ont besoin
d'un bon climat
pour grandir en beauté !
Autrement,
ils étouffent !

L'âge mûr...!

Quand nous atteindrons l'âge mûr...
      si ce n'est déjà fait !
    saurons-nous bien
        qu'il nous faudra trouver du temps,
            faire du temps,
        nous qui en avons si peu,
        nous qui sommes happés par le travail,
        nous qui sommes si occupés à vivre,
    oui, saurons-nous prendre du temps,
            de notre précieux temps,
        pour entrer en nous-mêmes,
        pour fouiller dans notre âme,
        pour regarder à l'intérieur de nous ?
    il nous faudra perdre du temps,
        pour réfléchir,
        pour méditer,
        pour prier !

Si nous sommes toujours pressés,
    si nous n'avons jamais le temps,
    si nous sommes sans cesse tendus vers je ne sais quelle tâche à faire,
    atteindrons-nous jamais la vraie sagesse?
Notre vie sera aussi folle qu'un bateau sans gouvernail,
    nous nous laisserons virevolter comme une feuille au vent !

Pour atteindre la maturité,
    il nous faut prendre le temps
        de contempler une fleur,
        de sourire au rire d'un enfant,
        de nous extasier devant un soleil couchant;
    il faut que nous arrêtions de dire et de nous dire:
        « je n'ai pas le temps
        de perdre mon temps »;
    il faut surtout que nous rentrions en nous-mêmes,

que nous fassions un pèlerinage
au cœur de notre cœur.

Alors,
avec le temps,
au plus profond de notre personne,
nous découvrirons des trésors fabuleux,
des mondes inconnus,
des rivages vierges !
nous serons émerveillés de tout ce qu'il y a en nous !

Nous prendrons goût à ces excursions intérieures,
nous ferons nos délices de ces moments de plénitude !
Nous verrons comme le dialogue silencieux avec soi-même
donne de la densité à une vie !

Et si notre dialogue nous conduit
à l'écoute non seulement de nous-mêmes
mais de Celui qui est plus intime à nous
que nous-mêmes,
à la rencontre de Celui qui nous a choisis
bien avant que nous soyons,
alors, notre vie ne sera plus une simple succession de « faire »,
mais elle deviendra une explosion d'« être »,
et nous atteindrons la maturité parfaite,
celle qui est « à la taille du Christ,
dans sa plénitude » (Eph 4, 13).

« Les gens qui se prennent au sérieux,
sont-ils les plus sérieux ? »

« Non », dit le sage.

« Alors, qui sont les gens les plus sérieux ? »

« Ce sont les enfants,
ce sont les vieillards qui vieillissent bien,
ce sont ceux qui pensent que la planète
peut tourner sans eux,
ce sont ceux qui se pâment pour une goutte de rosée ou pour une rose,
ce sont ceux pour qui le Très-Haut est important . . .
ce sont ceux qui leur ressemblent »,
reprit le sage.

En attendant...

Le rencontrer, Lui, qui déjà vient à ma rencontre !
Lui remettre mes misères, à Lui qui les a toutes assumées !
Lui donner mes péchés, à Lui qui les a pris sur sa croix !
Lui confier mon corps blessé, à Lui qui peut le transformer !
Le rejoindre au-delà de ma mort, Lui qui l'a vaincue !

Ô Christ,
si tu n'étais pas là,
si tu n'avais pas terrassé le mal,
si tu n'avais pas libéré l'homme pour toujours,
à quoi cela servirait de « passer » sur la terre ?

En attendant
de te voir pour toujours,
de te trouver sans jamais te perdre,
de posséder à jamais ta paix, ta joie.

En attendant... je te prie
que ma foi soit espérance !
que mon chemin de mort soit route de vie !
que mes chaînes soient liberté !
Amen.

Intolérance !

Et le Christ avait dit :
    « Heureux les cœurs purs ! »
Et voilà qu'il s'entretient
    avec Marie-Madeleine, la prostituée,
    et avec la femme adultère.
Au grand scandale des purs !

Et le Christ avait dit :
    « Vous ne pouvez servir Dieu et l'argent ! »
Et voilà qu'il dîne
    chez Zachée, le percepteur d'impôts,
    et chez Simon, le publicain,
    et chez Lévi, le douanier.
Et les gens n'y comprenaient rien !

Et le Christ avait dit :
    « Le Fils de l'homme est venu sauver
    ce qui est perdu » ;
    « Je suis venu
        non pour les gens bien-portants
        mais pour les malades et les pécheurs. »
Et le Christ
    condamne l'intolérance du pharisien
        orgueilleux
    et a pitié de la faiblesse du publicain
        humble et sincère !

Et de « saintes » gens, scandalisés, disent à d'autres :
    « Tu n'as pas honte
        de fréquenter des divorcés,
        de te tenir avec des « drogués »,
        de saluer des homosexuels,

d'aller veiller chez des Noirs
de visiter des politisés...
Je ne comprends pas...
Je te pensais mieux que ça ! »

Seigneur,
    de l'intolérance, délivre-nous !
    de l'incompréhension, guéris-nous !
    du jugement, garde-nous !
    de la condamnation, préserve-nous !
        Amen.

Un simple moine...

Il avait tête de patriarche
    et sourire d'enfant!
Son regard avait la transparence du cristal
    et ses mains la forme de l'accueil!
Il parlait très peu,
    mais tous allaient l'écouter!
Il n'avait rien,
    mais il donnait à tous!
Il n'avait pas de diplôme,
    mais il savait tout!
Il était tout à la fois
        présence,
        joie,
        tendresse,
        paix,
        sécurité,
        amour...!

On venait de partout pour le voir.
Il émanait de sa personne
    une sorte de fluide
    qui faisait du bien à tous.
C'était comme s'il nous dorait un peu
    aux rayons de son soleil.
Et chacun repartait meilleur
    de l'avoir rencontré.

Ce n'était pas un grand de ce monde:
    pas d'argent...
    pas de pouvoir...
    pas de science...
    non... rien!
C'était un simple moine:
    il partageait son temps
        entre la prière, le jeûne
        et les travaux des champs.

Petit à petit,
il s'était débarrassé
de tout ce qui appesantit
la plupart d'entre nous :
orgueil, colère, jalousie,
convoitise, gourmandise,
ambition ;
et il s'était rempli seulement de Dieu :
il était devenu libre et libérant,
pacifié et pacifiant !
la rencontre avec son Dieu
l'avait fasciné comme Élie à l'Horeb,
ébloui comme Moïse au Sinaï,
transfiguré comme Jésus au Thabor.

Pauvre de tout,
mais riche de Dieu et de Dieu seul,
quand il rencontrait les hommes,
c'est Lui qu'il leur donnait !
Et c'est pourquoi
les hommes revenaient sans cesse
le voir !

Ô Dieu !
donne-nous
des hommes et des femmes
de ce genre !

Même si nous ne sommes pas capables
d'être comme eux,
si tu savais
comme il fait bon
d'en rencontrer
de temps en temps !

Les enfants d'Israël
voyaient le visage de Moïse
rayonner. (Ex 34, 35)

Et il fut transfiguré devant eux :
son visage
resplendit comme le soleil,
et ses vêtements devinrent
éblouissants comme la lumière.

(Mt 17, 2)

Aveuglement...

As-tu remarqué
            qu'il y a deux manières de ne rien voir?
        D'abord, quand on est en pleine obscurité,
            c'est bien connu!
        mais aussi, quand on est dans une trop grande clarté:
            si tu regardes le soleil en pleine face,
                tu ne vois rien,
                tu es aveuglé!
On est donc aveugle
        ou dans l'obscurité totale
        ou dans la lumière totale.
La vision n'est pas dans les extrêmes.
Elle existe dans les nuances:
        ni trop, ni trop peu
            de lumière ou d'obscurité!

Personne ne possède la vérité, la science totales!
Personne non plus n'est totalement ignorant!
Et si tu trouves sur ta route
        quelqu'un qui se croit toute lumière
            ou se dit toute obscurité,
        tu seras aveuglé, tu ne verras rien!

Seigneur,
> *éclaire nos nuits*
> *et*

mets de l'ombre à nos soleils !

Seigneur,
> *donne-nous de voir la lumière*
>> *qu'il y a en chacun des hommes,*
>>> *qu'elle soit simple falot*
>>>> *ou*
>>>>> *puissant projecteur !*

Seigneur,
> *que jamais nous ne soyons éblouis*
> *et*
> *que toujours nous soyons éclairés !*
> *que jamais nous ne soyons aveuglants*
> *et*
> *que toujours nous soyons éclairants !*

Ô Toi,
> *lumière très sereine,*
> *ombre très douce !*

Amen.

Un enfant...

Quand on y pense...
    Ce qui fait la force d'un enfant,
        c'est sa faiblesse!
Ce qui fait le charme d'un enfant,
        c'est sa transparence!
On s'attache à un enfant,
        parce qu'il est sans calcul!
On veut pour un enfant le meilleur,
        parce qu'il n'est que promesse!

Oui,
    quand on y pense...
        nous sommes les enfants de Dieu!

                (I Jn 3, 1)

Un grand orme
ou l'équilibre...

Tout près de chez moi,
au beau milieu de la plaine,
trône,
majestueux,
un grand orme.

Immense bouquet!
Panache magnifique!
Au bout d'un tronc puissant mais paisible!
Merveille d'harmonie,
       de beauté,
       de fierté!

Et quel équilibre!...
Sur un seul pied!
Oui, bien sûr!
Mais il y a tout ce qu'on ne voit pas: les racines.
Quand on a la tête au vent
            à plus de vingt mètres du sol,
il faut avoir pied solide
       et racines intrépides.
Les botanistes disent que l'étendue des racines
      équivaut à celle du feuillage,
et les colons qui font feux d'abattis
      savent ce que c'est
      que d'essoucher un orme!

Le tronc fait l'équilibre et le pont
        entre les deux bouquets:
          l'aérien
          et
          le souterrain.
Et de ses deux extrémités
ce géant se nourrit:
les feuilles font la synthèse de la lumière,
    « la chlorophyle », disent les savants;
et les racines puisent dans le sol
les matières organiques.

De tous les points de cette beauté,
la vie se déploie!
De l'extérieur comme de l'intérieur,
l'arbre grandit!
Du visible comme de l'invisible,
il s'épanouit!
Pas d'arbre sans feuillage,
pas d'arbre sans racines,
pas d'arbre sans tronc qui les unit.

Chef-d'œuvre magnifique
que la nature généreuse
ne cesse de nous donner!

La vie des hommes
    tirerait peut-être grand profit
    à ressembler à mon grand orme.

Plus on a de panache,
      d'envergure,
plus il faut des bonnes racines.
Plus on est dans l'action,
plus il faut de la contemplation.
Briller devant tous
    par l'éclat de ses exploits,
c'est bien!
Mais il faut aussi,
    dans l'obscurité du terreau de sa chambre
               ou de l'église,
    se ressourcer aux sucs de l'étude
            et de la prière.

Et toujours dans un bel équilibre!
Si nous ne sommes qu'action,
nous produirons un beau feuillage
          pour un temps;
mais nous finirons par nous faner,
        par nous assécher,
    et nos feuilles tomberont!
car nous pousserons sur du béton!

De même,
à moins que nous ne soyons chercheurs,
                              contemplatifs,
                              ou invalides,
nous ne sommes pas faits pour étudier
                              ou pour méditer à longueur de journée.
Nous ne sommes pas que racines !
il faut que nous nous manifestions à l'extérieur
                              pour le meilleur service
                              de nos frères.

Tout est affaire d'équilibre !
        Travail et étude,
        action et contemplation,
        labeur et repos,
        solitude et vie sociale.
L'équilibre est vie :
        il est toujours à chercher,
                              à refaire !
C'est le prix qu'il faut payer
pour réaliser notre projet de vie
        en beauté !

Vivre...

La vie...
        quelle merveille !
Tu soulèves une pierre dans un sous-bois,
        et tu vois des centaines d'insectes
                qui grouillent de vie !
Hier, tu avais vu ici un cocon;
        aujourd'hui, tu contemples un joli papillon
                qui se pose sur une fleur de trèfle !
L'hiver, tu vois des natures mortes,
                des arbres dénudés,
                des ruisseaux gelés...
Au printemps, tout ressuscite :
        les arbres bourgeonnent,
        les glaces fondent,
        les petits veaux, moutons, cochons, poulains,
                égaient la ferme...
        la vie éclate de partout !
Quand vient au monde un fils d'homme,
        tous sont dans la joie !
        Ce qu'on fête,
                ce n'est pas seulement le bébé,
                                ou les parents,
                c'est surtout la vie,
                        le grand don de la vie !

Nous sommes faits pour vivre...
        et vivre en plénitude !
Nous ne sommes pas faits pour mourir...
        nous voulons vivre au-delà de la mort !
La mort, celle qui nous attend au bout du chemin,
        n'est pas naturelle .

Je veux vivre...
　　je veux vivre ma vie « au boutte »,
　　　　toute ma vie,
　　　　au-delà des soucis,
　　　　　　des souffrances,
　　　　　　de la mort !
Je veux vivre toujours,
　　　　en beauté,
　　　　en totalité !

« Je suis une femme
qui n'arrête jamais;
jamais une larme
et jamais de regret.
Je veux vivre
au bout de mon souffle
ma grande vie :
et rendue au bout de ma course,
je vous dis : merci ! »

Claude Léveillée

Je suis la Vie.
(Jn 14, 6)

Je suis venu
　　pour qu'ils aient la vie
et qu'ils l'aient
　　en abondance

(Jn 10, 10)

Regarde... Écoute...

As-tu déjà pris du temps
      pour regarder une fleur, une simple fleur...?
          sa couleur fascinante,
          sa forme unique,
          son parfum subtil,
          sa beauté sans prétention,
          son langage muet,
          son message discret...
Oui, as-tu déjà perdu du temps pour une fleur?

Observez les lis des champs.
Salomon lui-même, dans toute sa gloire,
n'a jamais été vêtu comme l'un d'eux.

                    Mt 6, 28-29.

T'es-tu déjà arrêté
      à écouter et regarder le rire d'un enfant?
          sa mélodie incomparable,
          sa couleur sans pareille,
          sa pureté sans faille,
          sa transparence cristalline...
Oui, t'es-tu déjà laissé saisir le cœur par un rire d'enfant?

Laissez venir à moi les enfants;
ne les empêchez pas;
le Royaume de Dieu est à ceux
qui sont comme eux.

                    Lc 18, 16)

As-tu déjà contemplé le regard d'un vieillard?

　　sa tendresse bienveillante,
　　sa sérénité inaltérable,
　　son humilité inouïe,
　　sa sagesse silencieuse...

Oui, as-tu déjà écouté le regard d'un vieil homme?

Lève-toi devant des cheveux blancs,
et sois plein de respect pour un vieillard;
c'est ainsi que tu auras la crainte de ton Dieu!

(Lv 19, 32)

Oui,
　　ce n'est pas du temps perdu
　　　　que de regarder une fleur...
　　　　　　　　un coucher de soleil...
　　　　　　　　la grâce des jeunes filles...
　　　　　　　　la force des jeunes gens...
　　　　　　　　le dévouement d'une maman...
　　　　　　　　le labeur d'un homme mûr...
　　　　　　　　le visage ridé du vieillard...

　　　　regarde et regarde encore!
　　　　regarde et admire!
　　　　regarde et émerveille-toi!
　　　　regarde jusqu'à contempler!

Oui,
　　il faut prendre le temps
　　　　d'écouter le rire d'un enfant...
　　　　　　　　le chant des oiseaux...
　　　　　　　　le sifflet du vent...
　　　　　　　　la tombée de la pluie...
　　　　　　　　le chant d'une berceuse...
　　　　　　　　le jeu d'une symphonie...

　　　　écoute et écoute encore!
　　　　écoute et étonne-toi!
　　　　écoute et réjouis-toi!
　　　　écoute jusqu'à t'extasier!

Ton émerveillement et ta joie
    te rempliront d'espérance
    et
éloigneront de toi toute trace de souffrance.

Et qui sait si au bout de ta contemplation
                et de ton extase,
    tu ne seras pas sollicité par la Vie,
    tu ne seras pas envahi par l'Amour,
    tu ne Le rencontreras pas?

Le petit Joël

Le petit Joël a six ans.
C'est déjà un homme!

Il a décidé d'aider son papa et son grand frère, Daniel,
à construire une galerie à l'arrière de la maison.

Et son papa, qui l'aime bien,
    lui a prêté un marteau.
Et Joël plante des clous
    comme son papa,
    comme son grand frère.
Et, comme il arrive parfois à son papa et à son grand frère,
    tout à coup Joël se donne un bon coup de marteau sur le pouce.
Et Joël, à la surprise de son papa et de son grand frère,
    laisse échapper de sa bouche... un sacre de première grandeur!
Son papa le reprend tout de suite:
    « Joël, qu'est-ce que tu as dit là? »
Et Joël de répondre:
    « Mais papa, j'ai dit ce que tu dis et ce que Daniel dit
    quand vous vous donnez un coup de marteau!
    Je suis un homme! je fais comme les hommes. »
Son papa de continuer:
    « Tu sacreras quand tu seras grand!
    Tu es trop jeune encore pour cela! »
Et Joël conclut:
    « Tu ne veux pas que je sois un homme!
    Pourquoi as-tu le droit de sacrer
        et moi pas? »

Ainsi se poursuit l'« éducation » du petit Joël!
Les événements nous forment ou nous
    déforment!
Il ne suffit pas de dire, il faut surtout être...
... particulièrement devant les jeunes!

*Si quelqu'un doit scandaliser
l'un de ces petits qui croient en moi,
il serait préférable pour lui
de se voir suspendre autour du cou
une de ces meules que tournent les ânes
et d'être englouti en pleine mer.*

(Mt 18, 6)

Aimer...

Si je n'aime personne,
    c'est peut-être moi que je n'aime pas !
Comment puis-je vouloir aimer les autres,
    si je ne m'aime pas moi-même ?
Quand je m'examine un peu,
    je m'aperçois vite qu'il y a chez moi
        des choses que je n'accepte pas,
            que je n'aime pas !
            au physique...
            au moral surtout...!
Et si je vois les mêmes choses chez les autres,
    je ne les aime pas non plus.
Et si mon ami me dit que j'ai les mêmes défauts que mon pire ennemi,
    je crie d'abord au malheur et au mensonge,
    et ensuite je me mets à réfléchir !

Dieu nous aime bien ainsi !
Pouvons-nous être plus exigeants que Lui ?
Nous essayons bien de nous corriger
            de nous améliorer...
Nous y réussissons parfois
    ou nous pensons y avoir réussi...
        jusqu'au jour
          où quelqu'un que nous n'avons pas vu depuis vingt ans
              vient nous dire : « Comme tu n'as pas changé ! »
    ce qui ordinairement veut dire
        que nous avons les mêmes défauts !
Il ne faut pas nous faire d'illusion :
    nous changeons bien peu dans une vie.
En tout cas,
    si nous nous améliorons un peu,
    nous ne pouvons toujours en faire autant pour les autres !

Somme toute,
il vaut mieux pour notre santé
et celle des autres,
nous accepter et nous aimer
tels que nous sommes.
Cela nous aidera à accepter
et
à aimer les autres
tels qu'ils sont.

Tu aimeras ton prochain comme toi-même.

(Lc 10, 27)

Tu vaux cher à mes yeux,
tu as du poids,
et moi, je t'aime...
ne crains pas,
Je suis avec toi.

(Is 43, 4-5)

Un sous-bois

C'était un magnifique sous-bois :
>   les sapins géants faisaient la cour aux épinettes coquettes,
>   les érables saluaient gentiment les frênes,
>   et les merisiers troquaient leurs fruits contre ceux des chênes.
Les oiseaux lançaient leurs joyeux trilles de branches en branches,
>   les écureuils se prélassaient sur les lits de mousse au pied des arbres,
>   et les papillons coloriaient gaiement cet océan de verdure.
La nature ici avait poussé dans un équilibre parfait :
>   tout était accordé,
>   pas une seule fausse note !
Une mélodie forestière digne du meilleur Mozart !
Une symphonie d'ombre et de lumière !

Puis, vint l'homme.
Il décida de transformer ce sous-bois en parc à pique-nique.
Il coupa ici un chêne,
>   là un frêne.
Il trancha des épinettes et des sapins.
>   les écureuils s'enfuirent dans le sous-bois voisin
>   et on ne vit plus de papillons.

Des accords essentiels furent retranchés à la symphonie.
L'équilibre fut rompu.
Au bout d'un an,
>   les plus beaux arbres qui restaient
>   se mirent à dépérir.
>   on avait brisé leur environnement.
Et ce fut bien dommage !

C'était un quartier très vivant dans la grande ville :
>   les voisins se connaissaient tous,
>   les soirs d'été, on dansait dans la rue,
>   et l'hiver, on se visitait.
Quand il y avait une naissance ou un mariage,
>   on fêtait ça ensemble.

Quand il y avait de la mortalité,
    tout le monde était là pour sympathiser.
C'était comme une grande famille,
    où chacun pouvait s'appuyer sur l'autre.

Puis, vinrent les urbanistes de la grande ville.
Les autorités avaient décidé
    de démolir les vieilles maisons du quartier
    et
    de construire quelques gratte-ciel
        pour favoriser le « progrès » de la ville!
Alors, les enfants virent tomber la maison
    où étaient nés leurs arrière-grands-parents;
      la ruelle où ils avaient appris à jouer et à se faire des amis
        s'effondra.

Peu à peu,
    le quartier se vida;
      les grandes avenues nouvelles étaient désertes le soir;
      le béton, froid et impersonnel, avait remplacé la chaleur des foyers.
Plus de vie!
Plus de fête!
Le grand concert de la fraternité était fini!
La source du partage était tarie!
Le tissu humain était brisé à jamais!

Ô « Progrès »!
    Que de bêtises on a faites en ton nom!
    Que de vies humaines on a sacrifiées sur ton autel!
    Que de simples joies sont mortes
      au seuil de tes « paradis artificiels »!
Non, je ne te louerai pas
    quand, au nom du confort,
            de la prospérité,
            de l'avancement,
    tu détruis l'amitié,
      la fraternité,
      l'amour!
Non, non, non!

Venez...

Ô vous,
    qui ployez sous le travail,
    venez !
    venez à Lui,
    car Il est tout repos !
Ô vous,
    qui souffrez de désespoir,
    venez !
    venez à Lui,
    car Il est toute espérance !
Ô vous,
    qui pleurez de chagrin,
    venez !
    venez à Lui,
    car Il est tout réconfort !
Ô vous,
    qui vous tordez de douleur,
    venez !
    venez à Lui,
    car Il est tout apaisement !
Ô vous,
    qui êtes accablés de solitude,
    venez !
    venez à Lui,
    car Il est toute amitié !
Ô vous,
    qui vous mourez d'inquiétude,
    venez !
    venez à Lui,
    car Il est toute paix !
Ô vous tous,
    qui êtes affamés, assoiffés,
        blessés, meurtris,
        accablés, déboussolés...

venez, venez à Lui,
venez sans crainte,
sans hésitation ,
sans regret !
venez !
Car Il est la source qui désaltère,
le feu qui purifie,
l'oasis qui rafraîchit,
la lumière qui éclaire !

Nous sommes dans sa main,
nos noms sont gravés sur ses paumes;
Il a posé son regard sur nous,
Il ne nous abandonnera jamais !

Venez à moi,
vous tous qui peinez et ployez
sous le fardeau,
et moi, je vous soulagerai…
vous trouverez
soulagement pour vos âmes.
(Mt 11, 28-29)

La lumière !

La lumière...!
Nous sommes habitués à la voir...
    au point que nous ne la voyons plus.
Nous ne savons plus en apprécier
    les bienfaits
    les merveilles.
Nous sommes devenus aveugles
en plein jour.

Et pourtant!
Comment s'habituer
    à l'aube qui revient tous les matins?
    au rayon de soleil qui perce la nue
                ou la forêt?
    à la clarté au cœur des ténèbres?
Comment ne pas apprécier
    la lumière qui éclaire la nuit?
    la lampe qui guide nos pas?
    le phare qui dirige les bateaux?
J'ai un ami aveugle
    qui ne cesse de me dire:
        « Tu ne sais pas ta chance!»

Redécouvrir la lumière!
Être des quêteurs de la lumière
pour devenir lumineux!

Et il leur disait :
Je suis la lumière du monde !
Celui qui marche après moi
ne marchera pas dans les ténèbres;
il aura la lumière qui conduit à la vie.

(Jn 8, 12)

Dieu dit :
Que la lumière soit !
Et la lumière fut.
Dieu vit que la lumière était bonne !

(Gn 1, 3)

Que votre lumière brille aux yeux des hommes.

(Mt 5, 16)

Prière du malade

Seigneur,
         tu t'es penché sur la douleur du paralytique,
         tu as donné la lumière aux aveugles,
         tu as fait marcher le boiteux,
         tu as fait entendre les sourds,
         tu as commandé à la fièvre .

Si tu le veux, guéris-moi,
car, tu le peux .

Et,
si, par un mystérieux désir de ton amour,
         il vaut mieux que je ne guérisse pas,
donne-moi la force et la foi
         d'accepter ma maladie.
                          Amen.

Fabien...

L'alcool...
L'alcool, c'est le faible de Fabien !

Au début,
    il n'en prenait qu'avec les amis :
        fêtes de bureau, rencontres d'affaires,
        veillées sociales...
Puis, tout devint prétexte pour un petit verre :
    il travaillait plus fort qu'à l'ordinaire,
        il lui fallait un stimulant.
    il avait un problème, une inquiétude,
        il prenait un « remontant ».
    il avait fait une bonne affaire,
        il fallait « fêter ça ».
Sa femme lui fit remarquer un jour
    qu'il prenait sa « ration » tous les soirs.
    « Ne t'inquiète pas », lui dit-il.

Fabien dut se rendre à l'évidence :
    il n'était plus capable de s'en passer.
Alors, il décida de s'en sortir :
    il avait vu de ses amis réussir cet exploit.
À coup de volonté,
    il réussissait à sauter des soirées,
    mais d'autres fois « c'était plus fort que lui ».
Il entra chez les A.A.,
    il constata avec enthousiasme
        qu'il faisait de remarquables progrès.
Finalement, voyant que les résultats n'étaient pas complets,
    il se mit à distancer ses visites au local.
Il y va encore de temps en temps,
    mais il en a pris son parti :
        « Je mourrai alcoolique, m'a-t-il dit l'autre jour,

je vais passer ma vie à essayer de m'en sortir,
j'aurai sans doute de bons intervalles,
mais je retomberai toujours. »

« Essayer de s'en sortir »...
Combien parmi nous ne font que cela...
            toute leur vie...
        sans jamais réussir totalement.
Combien de blessés de la vie le seront toujours!
Blessure connue ou inconnue des autres!
Alcool, drogue, homosexualité, débauche, vol, etc.

Les psychologues parlent non sans raison
                            de maladie,
                            de manie, etc.
Les spirituels parlent d'« épreuve de Dieu »,
                d'« écharde dans la chair » (II Cor 12, 7).
Les moralistes parlent de péché...

Quels que soient les spécialistes,
    quelles que soient les blessures,
    les blessés de la vie auront toujours besoin de trouver
        au milieu de leur situation douloureuse
    l'espérance qui fait vivre.
Et s'ils sont croyants,
        c'est au cœur de leur foi
                qu'ils peuvent la trouver:
        elle est bien plus que l'espoir de voir sa situation changée,
        elle est certitude qu'un jour
            Dieu, dans sa bonté,
                        sa tendresse,
            rétablira toutes choses
                    en beauté
                    en droiture
                    en plénitude!

Seigneur,

donne à Fabien et aux siens

le courage d'accepter sa situation;

donne-lui

la force de toujours essayer de s'en sortir,

même s'il ne réussit pas toujours;

fais-lui comprendre

que tu l'aimes profondément,

comme il est,

avec ses qualités,

avec ses défauts,

avec sa blessure,

avec ses efforts,

que tu as posé ta main sur son épaule,

que son nom est gravé dans Ton cœur,

que Ton amour est plus grand que ses difficultés;

fais-lui découvrir

que ce qui compte

ce n'est pas de réussir

mais bien de ne jamais cesser d'essayer!

Qu'il sache,

d'une science absolument certaine,

qu'il est lui aussi, tel qu'il est,

un candidat à la sainteté,

au même titre que les personnes

apparemment sans difficultés!

Et que par-dessus tout

il puise dans la foi que Tu as mise en lui à son baptême,

dans la foi des siens,

ton espérance,

cette petite espérance si grande,

si forte,

si puissante!

Que, la main dans Ta main,

il accepte de vivre blessé d'alcool,

mais surtout blessé de ton amour

qui ne le lâchera jamais.

Amen.

Je te rétablirai dans ton état ancien.

(Ez 16, 55)

Je te fiancerai à moi
pour toujours;
je te fiancerai
        dans la justice,
        dans le droit,
        dans la tendresse
        et dans l'amour,
je te fiancerai à moi
        dans la fidélité.

(Os 3, 21-22)

Le Seigneur Jésus Christ
        transfigurera
                notre corps de misère
        pour le conformer à son corps de gloire,
                avec cette force qu'Il a
                        de pouvoir même se soumettre tout l'Univers.

(Phil 3, 21)

Félix

Félix est un exemple magnifique
    de la nature humaine :
        physique d'athlète,
        corps bien tourné et bien planté,
        figure agréable,
        sourire resplendissant !
    sa conversation est des plus intéressantes,
    il est fort cultivé…
    sa personnalité a fait chavirer
        bien des cœurs de ces dames… !
Félix est un homme non seulement charmant.
    il est aussi brillant :
        au collège, il a râflé toutes les médailles,
        à l'université, il a fait rêver les professeurs les plus exigeants ;
    il jouit maintenant d'un haut poste
        dans une grosse entreprise :
            salaires fabuleux,
            promotions successives,
            considérations multiples, etc.
Bref, Félix est un homme comblé par la vie :
    santé,
    intelligence,
    très bonne position,
    prestige social,
    famille considérée,
    fortune,
    propriétés, etc.
Félix est une force vivante,
    est un roc solide,
    est la réussite incarnée.

Félix n'a guère le temps de prier…
    il est trop occupé à vivre !
Félix n'a confiance qu'en lui-même :

c'est là qu'est sa puissance !
Félix adore un Dieu bien lointain,
qui ne le dérange pas.
Au fond les vrais dieux de Félix sont :
son intelligence, ses relations,
sa vitalité, sa réputation,
sa créativité, son argent...
en y pensant bien,
c'est lui-même que Félix adore,
c'est en lui seul qu'il a placé sa foi !

Et pourtant,
un de ces jours,
fatalement,
ses forces diminueront,
d'autres le supplanteront,
la santé l'abandonnera pour le « grand voyage »...
Que restera-t-il du grand Félix,
si Dieu n'avait pas de place
au milieu de ses succès,
de ses performances ?

Ne vous amassez pas
de trésors sur la terre...
Mais amassez-vous
des trésors dans le ciel,
où ni les mites ni les vers
ne font de ravages...

(Mt 6, 19-20)

Quel avantage
l'homme a-t-il
à gagner le monde entier,
s'il se perd
et se ruine lui-même ?

(Mt 16, 26)

Mais
le Fils de l'homme, quand il viendra,
trouvera-t-il la foi sur la terre.

(Lc 18, 8)

Viens...

Veux-tu goûter une source
    qui te rafraîchira pour toujours?
Veux-tu marcher sans jamais te lasser?
Veux-tu voir des nuits de plein jour?
Veux-tu savourer des amours indestructibles?
Veux-tu désirer et ne jamais t'assouvir?
Veux-tu tout posséder et ne rien perdre?
Veux-tu aimer, être aimé sans jamais aucun doute?
Veux-tu?

Alors, viens avec moi.
Prends ma main.
N'aie pas peur.
Appuie-toi sur moi.
Ne regarde pas en arrière.
Laisse là tes attaches...
Viens, suis-moi.
Tu trouves la route dure?
Crois-moi, celui qui marche avec moi ne trébuche pas.
Je suis avec toi...
Je ne t'abandonnerai pas.
Crois-moi!
Je t'aime.

Au bout du chemin,
et même en cours de route,
si tu tiens toujours ma main,
tu verras la lumière sans déclin,
tu posséderas une science sans limites,
tu aimeras sans frontières aucunes,
tu seras aimé sans fin,
et tu vivras, tu vivras... toujours, toujours!

N'aie peur de personne,
je suis avec toi
pour te libérer.

(Jér 1, 8)

Ce que tu as, vends-le
et donne-le aux pauvres
et tu auras un trésor dans le ciel!
Puis, viens, suis-moi.

(Mc 10, 21)

Jos-connaissant...

Il jugeait tout
     du haut de sa science !
Il se prononçait sur tout
     du promontoire de ses idées !
Il ne doutait de rien,
     surtout pas de lui !
     d'ailleurs, pourquoi douter ?
     il avait tout lu,
          tout pensé,
          tout pesé,
     il avait tout trouvé,
          tout découvert,
          tout, absolument tout.

Et si d'aventure
     quelqu'un trouvait une idée qu'il n'avait pas trouvée,
     il avait sur-le-champ
          la réponse toute prête :
     « C'est une idée dépassée,
     c'est un rêve en couleurs,
     c'est une utopie ! »
D'ailleurs, comment aurait-il pu en être autrement ?
Et il s'étonnait,
     se scandalisait même,
          que les gens ne recourent pas davantage
               à sa science,
            ne s'intéressent pas plus
               à ses idées,
        le délaissent de plus en plus !
C'était bien la seule chose qu'il ne pouvait s'expliquer !
     « Comment se fait-il que les gens font le vide autour de moi ? »
     se disait-il.

En fait,
    ce n'était pas les gens
    mais bien lui qui faisait le vide,
      le pôvre!
      lui qui se croyait si riche!

Qui ne sait pas quitter ses idées
    les gardera stériles en lui-même!
Il n'y a qu'une manière d'engendrer...
    même des idées:
    c'est se départir d'un peu de soi,
              humblement!
Alors, petit à petit,
    on les voit naître chez les autres,
      en plus beau souvent!
Et c'est cela qui est merveilleux!

Qu'as-tu
    que tu n'aies reçu?
Et, si tu l'as reçu,
    pourquoi t'enorgueillir
    comme si tu ne l'avais pas reçu?

          (I Cor 4, 7)

La neige...

La neige tombe
  blanche,
  pure,
  immaculée...
Elle tombe douce
   lente,
    silencieuse...

Puis, soudain, le vent se conjugue à la neige.
La météo annonce: visibilité nulle.
Et pourtant, si tu colles ton nez au carreau,
  tu vois des beautés!
   tu vois les volutes et les spirales
     que dessine la rafale
     sous tes yeux éblouis!

Et quand, à nouveau,
  le vent s'est séparé de la neige,
  tu vois les arabesques,
    les sculptures,
   qu'il a fabriquées
     au coin de ta maison,
     autour d'un arbre,
     au creux du ruisseau!

Et tu dis:
  qu'elle est belle, la neige!
  quel artiste peut faire
    d'aussi beaux cristaux,
    d'aussi belles figures?
  qu'il est grand, le vent!
  qui peut imaginer de tels dessins?
  qui peut tirer de telles lignes?
Et tu n'en finis plus
  de contempler,
  d'admirer
  de louer!

Vous tous,
        souffles et vents,
bénissez le Seigneur !
et vous,
        glaces et neiges,
bénissez le Seigneur.
Célébrez-le
        exaltez-le à jamais.

(Dn 3, 65. 70)

L'orage...

Il avait fait une chaleur accablante...
Une humidité à couper au couteau...!
Pas la moindre petite brise pour rafraîchir!
Un temps mort, lourd!
Un soleil de plomb!...
Puis, les nuages s'amoncelèrent dans le ciel,
                            masquèrent le soleil...
Un plafond de salon funéraire!
Il faisait un calme plat,
      le calme qui précède la tempête.
Au loin, les premiers coups de tonnerre retentirent...
Des éclairs zigzaguèrent dans le ciel...
Le vent s'éleva rapidement.
La pluie se mit à tomber, douce au début,
                          puis de plus en plus violente.
L'orage nous tombait dessus.
Un magnifique orage!
Une heure durant!

Après l'orage,
      l'air était pur et plus sec:
            ah! ce qu'on respirait bien!
      la température avait baissé de plusieurs degrés:
            ah! ce qu'on se sentait bien!
      une brise légère caressait l'atmosphère:
            ah! ce que c'était doux!
      un bel arc-en-ciel s'étirait au-dessus de la montagne:
            ah! ce que c'était merveilleux!

Mais, après l'orage aussi,
      des arbres avaient été brisés,
      les fleurs étaient courbées,
      des branches jonchaient le sol,
      une petite remise s'était écrasée ;
      dommage! hélas!

Depuis quelques jours,
 l'atmosphère du bureau devenait
  de plus en plus irrespirable...
 le patron se cachait derrière des dossiers
  de plus en plus épais !
 les employés évitaient de se trouver
  sur son chemin !
 plus de taquineries, plus de bonnes « histoires »,
  plus de rires ni de sourires !
 rien que des relations de travail,
  formelles, fonctionnelles !
 on se parlait en monosyllabes : « oui, non, merci, s.v.p. ».
  une atmosphère de fin de film western !

Puis, un certain matin,
 les signes avant-coureurs de la tempête
  se montrèrent le bout du nez ;
 le patron s'attaque d'abord à sa secrétaire :
  il lui fit retaper une lettre
   trois fois... pour des « virgules »;
 ensuite, il réprimanda un chef de département
  pour un document
   qui « aurait dû être sur sa table depuis trois jours »;
 puis, il passa ses remarques sur le café
  qui n'était pas bon
   et qui « pourtant ne demande pas un cours classique
    pour être bien fait »;
 décidément, il n'était pas d'humeur
  à se faire marcher sur les pieds :
  non seulement il avait l'air bête
  mais il l'était !

Au dîner,
 les employés échangèrent leurs commentaires,
 d'abord avec humour et ensuite avec humeur !

L'orage éclata à la pause-café de l'après-midi :
 ce fut un magnifique orage ;
  la colère fit monter la tension de tous :
   on crut que la cravate du patron allait l'étouffer
   tellement il était rouge !
 les injures et les bêtises résonnèrent
  comme des coups de tonnerre !

les moqueries et les sarcasmes se promenèrent
      à la vitesse de l'éclair !
on en serait venu aux coups
      si les plus sages ou les plus fatigués
        n'avaient pas tout doucement filé à l'anglaise,
        laissant finalement le patron gesticuler tout seul !

Le lendemain,
      il fallut faire le bilan de cette belle tempête :
        deux employés demandèrent à voir le patron
          et voulurent remettre leur démission ;
        la secrétaire du patron ne se présenta pas au travail.
Alors, le patron se mit à réfléchir...
Il convoqua une réunion de tout le personnel:
      il s'excusa, on s'excusa ;
      il admit ses torts, on fit de même.

Calmement,
>dans un climat rafraîchi,
>on fit la liste des griefs respectifs
>>et des solutions souhaitables ;
>des comités furent chargés d'appliquer des solutions ;
>la secrétaire revint au travail
>et il n'y eut pas de démissions.
Et la vie reprit son cours normal,
>comme aux plus beaux jours de l'année.

Il y a des colères nécessaires ou tout au moins utiles ;
>le Christ en a fait une couple de pas vilaines !
Il y en a d'autres qui ne servent à rien
>et qui détruisent tout et surtout tous !

Si tu es tous les jours en colère,
>c'est comme si le temps était toujours à l'orage :
>>tu n'es pas normal ;
>>il faut te réajuster, mon vieux !
Si tu es un peu comme tout le monde,
>tu dois te fâcher de temps en temps,
>>comme la température !
>que ce soit de « bonnes » colères,
>>qui purifient l'atmosphère trop lourde
>>>mais ne laissent pas trop d'arbres cassés sur le terrain !
Et si tu peux
>négocier plutôt que te fâcher,
>régler à l'amiable plutôt que par un coup de nerfs,
>être zéphyr plutôt qu'ouragan,
>>c'est tant mieux !

Bienheureux les doux,
ils posséderont la terre.
(Mt 5, 4)

Les enfants...

Ils sont trois...
 ils viennent régulièrement
  jouer dans ma cour ;
 et, quand je suis là,
  ils me prennent comme arbitre de leurs ébats.
Ils ont tous autour de cinq ans...
 des petits diables... adorables !

Il y a aussi Sylvie.
 Elle a six ans !
Quand je reviens de mon travail,
 elle vient à ma rencontre :
 elle m'apporte une fleur,
  qu'elle dépose dans un vase,
   sur la table de la cuisine,
  à la condition, bien sûr, qu'à son tour,
   elle puisse en cueillir une dans mes plates-bandes ;
 elle me demande si la journée a été bonne,
  si je ne suis pas trop fatigué,
  si je veux jouer avec elle.
Merveilleuse petite Sylvie !

Oh ! j'allais oublier Alexandre :
 petite furie de trois ans.
Il me suit comme mon ombre.
Il est à l'âge des pourquoi.
 « Pourquoi tu fais ceci... cela...? »
 « Pourquoi t'es arrivé plus tard aujourd'hui...
  je t'ai attendu, tu sais? »
Brave petit Alexandre !

Les enfants...
Ils sont comme un cristal pur :

<pre>
                 transparents,
                 lumineux,
                 vrais !
    Ils sont rosée du matin,
                 fraîcheur du soir !
    Ils sont le sourire de Dieu,
                 la ballade du cœur,
                 la perle dans la main !
    Ils sont la réconciliation,
                 l'amour,
                 la vie !
    Ils sont la confiance totale,
                 l'amour gratuit,
                 la simplicité vivante !
    Ils sont ce que nous ne sommes plus, hélas !
    Ils sont nos maîtres !
             Savons-nous les écouter ?
    Jésus, lui, le savait
             qui les aimait tant !
</pre>

Le vieux ...

Il ne parlait presque plus ...
    non pas qu'il était devenu muet,
    mais il préférait écouter
    et surtout regarder.

Depuis six ans,
    il avait pris sa retraite
ou plutôt,
    il avait été obligé de se retirer :
    il avait soixante-cinq ans !

Au début,
    il s'était occupé amplement :
        entretien de la pelouse,
        réparations à la maison,
        bricolage ...

Puis, petit à petit,
    ce fut le désœuvrement,
        l'ennui,
        la lassitude à écouler les
        journées qui n'en finissaient pas ...

En l'espace d'un an,
    il prit un « coup de vieux » terrible :
        cheveux blancs,
        rhumatismes,
        cholestérol,
        faiblesse cardiaque ...
    il se mourait
        de ne rien faire,
        de ne pas savoir quoi faire !

Tout le jour,
        assis dans sa berceuse,
        la pipe à la bouche,
    il se taisait,

il regardait sa femme encore active,
    travaillante,
    affairée aux travaux domestiques!
il pensait...
il réfléchissait...
il méditait.

Le dimanche,
    ses enfants,
    et surtout ses petits-enfants
    venaient le visiter.

Alors, il revivait!
    il ne se lassait pas
        de les écouter,
        de les regarder,
        de les contempler;
    c'était comme si tacitement il leur transmettait
        son héritage, sa vie...
        comme s'il voulait enregistrer dans sa mémoire
        des souvenirs pour toujours:
            les cheveux blonds de Maude,
            les yeux bleus de Marc,
            les joyeux babillages de Stéphanie...
        comme s'il se projettait dans ses enfants
            quand il avait leur âge:
                fort comme Marcel,
                plein d'initiative comme Jean,
                joyeux comme Louis...

Vieillir...
    vieillir en beauté...
    vieillir en sagesse...!

C'est un art!
c'est un défi!

Ça ne se fait pas seul!

Comme dit la chanson:
    « Quand on est vieux,
    ON A BESOIN DE SES ENFANTS
    pour finir le chemin! »

Les vieux nous appellent...!
Ils nous enseignent aussi...!
　　　s'ils nous écoutent,
　　　　　　nous avons à les écouter!
　　　s'ils nous regardent,
nous avons à les regarder!

Et puis, un jour,
c'est nous qui serons à leur place!

La couronne des grands-parents,
c'est leurs petits-enfants.

(Pr 17, 6)

Ne méprise pas ta mère
parce qu'elle est devenue vieille.

(Pr 23, 22)

À quoi ça sert…?

À quoi ça sert d'être puissant
    si c'est pour écraser les faibles?
À quoi ça sert d'être savant
    si c'est pour tromper les ignorants?
À quoi ça sert d'être riche
    si c'est pour appauvrir les démunis?

Le pouvoir est donné
    non pour asservir
    mais pour servir!

La science est donnée
    non pour soi
    mais pour les autres!

La richesse est donnée
    non pour capitaliser
    mais pour partager!

Il a renversé les puissants de leur trône,
Il a élevé les humbies!

      (Lc 1, 52)

Il a rassassié de biens les affamés,
Il a renvoyé les riches les mains vides.

      (Lc 1, 53)

La croix...

Il nous faut prendre notre croix,
  sinon c'est elle qui nous prendra !
Il ne nous sert à rien de la fuir,
  elle nous rejoindra tôt au tard !
Si nous ne l'acceptons pas,
  elle nous écrasera !
Si nous nous y couchons,
  elle nous sauvera !

Un certain Jésus,
  un soir d'un certain vendredi,
  eut à choisir lui aussi :
   lui ou la croix !
Appuyé sur elle
   et sur son Père,
  il fut sauvé
  un matin d'un certain dimanche !

Ce que je dis là
est folie pour les sages de ce monde,
  stupidité pour les gens « sérieux » ! (I Cor 1, 25)
mais,
pour qui croit en Celui qui peut tout,
   qui peut même arracher à la mort,
c'est sagesse !
si nous nous appuyons sur la croix
    et
    sur Jésus,
nous serons nous aussi sauvés !

Celui qui veut venir à ma suite,
qu'il renonce à lui-même,
et prenne sa croix
chaque jour...
et qu'il me suive.

(Lc 9, 23)

Ne fallait-il pas
que le Christ souffrît cela
pour entrer dans sa gloire?

(Lc 24, 26)

Il a été crucifié
dans sa faiblesse,
mais il est vivant
par la puissance de Dieu.

Et nous aussi
nous sommes faibles en lui,
mais nous serons vivants en lui
par la puissance de Dieu.

(II Cor 13, 4)

J'ai vu...

J'ai vu
> des gens,
> des hommes, des femmes,
> des jeunes gens, des enfants;
>> se rassembler
>>> pour entendre la Parole de Dieu,
>>> pour prier leur Seigneur,
>>> pour se dire leur foi,
>>>> leur espérance,
>>>> leur amour...
> et cela m'a fait bon au cœur!...

J'ai vu
> un médecin, brillant spécialiste,
>> se reconnaître pécheur
>>> devant la communauté
>> et
>> demander à Dieu
>>> de le « convertir » à son amour...
> et cela m'a fait chaud au cœur!...

J'ai vu
> un architecte, professionnel réputé,
>> donner son superflu
>>> aux pauvres
>> et prier pour s'attacher à Dieu seul...
> et cela m'a fait question au cœur!...

J'ai vu
> une mère de famille, toute simple,
>> demander pardon à Dieu
>>> pour ses jugements de la journée
>> et
>> prier pour les « accusés » de son tribunal...
> et cela m'a fait joie au cœur!...

J'ai vu
> un ouvrier, aux mains calleuses,
>> offrir au Seigneur

les contestations de son milieu de travail,
et
prier pour l'accomplissement de la justice...
et cela m'a fait larmes au cœur!...

J'ai vu
une jeune fille, les sanglots dans la voix,
prier Dieu
pour son ami qui venait de la quitter pour une autre...
et cela m'a fait choc au cœur!...

J'ai vu
un prêtre au cœur humble,
prier pour l'avènement de l'« homme nouveau » en lui
et pour la « Vie » de la communauté...
et cela m'a fait lumière au cœur!...

Oui, te le dirais-je,
j'ai vu des pécheurs humbles et croyants,
des croyants sincères et espérants,
des espérants fervents et aimants,
des aimants simples et forts;
j'ai vu la force de la Parole accueillie dans la foi,
la puissance de la prière célébrée fraternellement,
la beauté du pardon reçu et donné,
j'ai vu la paix de l'âme,
la joie du cœur,
la tendresse du regard,
la lumière sur les visages!
Oui, j'ai vu cela... dans l'émerveillement!
et à travers cela...
je T'ai vu, Seigneur!
je T'ai prié!
et je les ai enviés un peu!

Récitez entre vous
des psaumes,
des hymnes,
des cantiques inspirés;
chantez et célébrez le Seigneur
de tout cœur.

(Eph 5, 19)

Voyez! comme il est bon et agréable
d'habiter en frères tous ensemble.

(Ps 133, 1)

Prière

Seigneur,
    je voudrais être patient comme André,
    mais trop souvent je me mets en colère,
    et parfois je suis même violent !
Seigneur,
    je voudrais être simple comme Hélène,
    mais il m'arrive d'avoir des idées de grandeur
    et des fois je me prends pour un autre !
Seigneur,
    je voudrais être adroit comme Réal,
    mais j'ai de la misère à scier une planche droite
    et j'ai peine à planter un clou sans le crochir !
Seigneur,
    je voudrais être joyeux comme Aline,
    mais j'ai toujours les lèvres serrées,
    et souvent, je suis bourru !
Seigneur,
    je voudrais être travaillant comme Pierre
    mais j'ai le goût de rien faire
    et je perds mon temps à niaiser !
Seigneur,
    je voudrais, je voudrais…
    mais je n'en finirais plus
    de te dire tous mes désirs !

Donne-moi
    la capacité de Te louer pour les qualités
        que je vois dans les autres,
    la capacité d'améliorer ce qui peut l'être en moi,
    et aussi la capacité de m'accepter et de m'aimer
        tel que je suis,
        puisque Toi, tu m'aimes bien ainsi !
        Amen.

Les dinosaures...

Maxime a cinq ans et demi.
Il a regardé à la télévision
    une reconstitution de la pré-histoire:
        des dinosaures, des brontosaures,
        des tyrannosaures, et quelques autres... saures!
        il y en avait plein!

Maxime a un oncle de quarante ans, Albert.
Il lui dit très sérieusement:
    « Mon oncle, c'était de ton temps, ces animaux-là?
L'oncle a éclaté d'un rire sonore.
Et il lui a dit:
    « Non, mon neveu, je suis bien plus jeune que cela! »

Puis, il s'est adressé aux gens de son âge :
      « Ces enfants, ça n'a pas le sens du temps ;
      ça nous prend déjà pour des croulants ;
      ils ne diront pas cela quand ils auront notre âge. »

Albert a une vieille tante : quatre-vingt-neuf ans !
Chaque fois qu'il revient d'une visite chez elle,
      les mêmes pensées lui trottent dans la tête :
          « Tante Amélie est vieux jeu !
          Elle est dépassée pour notre temps !
          Elle est d'un autre âge !
          Elle ne nous comprend plus !
          Décidément, elle est une pièce de musée ! »

La conclusion... est facile à tirer !

Prière du soir

Seigneur,
　　me voici devant Toi,
　　ce soir,
　　à la fin d'une autre journée de labeur.

Prends ce que j'ai fait de bon,
　　et donne-lui vie !
Quant à ce que j'ai fait de mal,
　　fais couler sur lui ta miséricorde inlassable .

Sur mes frères,
　　à qui j'ai fait de la peine aujourd'hui,
　　dépose le grand manteau de ta tendresse.
Sur ceux que j'ai jugés, hélas !
　　étends l'ombre de ta paix.
À ceux qui m'ont aidé à passer ce jour,
　　donne la joie au cœur !
À ceux qui m'ont donné leur sourire,
　　prodigue la douceur de ton Esprit .

Que ton amour soit avec nous tous
　　en cette nuit que Tu nous donnes !
Qu'au cœur de notre sommeil,
　　ta lumière nous illumine !
　　　　Amen.

Gertrude

Gertrude est une femme de foi,
　　　　　　　　de très grande foi !
Elle n'a jamais fait la manchette des journaux,
mais, dans le cœur de Dieu,
　　　elle a une place de choix.
Sa foi n'a pas fini de nous émerveiller !

Prenez, l'autre jour, elle a fait une prouesse étonnante
Son grand Serge — dix-huit ans —
　　　　　était rentré à la maison,
　　　　　　　　ce soir-là,
　　　　　　　　avec une humeur massacrante.
Rien n'avait marché durant la journée
　　　　　　　　pour lui :
　　　le lunch que sa mère lui avait préparé le matin
　　　　　« n'était pas bon » ;
　　　il s'était chicané avec son patron
　　　　　« pour un coup de tête » ;
　　　il s'était donné un coup de marteau sur le pouce
　　　　　qui était maintenant tout bleu ;
　　　pour finir le plat,
　　　　　sa petite amie lui avait dit au téléphone
　　　　　　　« qu'elle n'était pas libre ce soir ».
Aussitôt rentré,
　　　il déchargea sa colère
　　　sur ses jeunes frères et sœurs ;
　　　il bouscula tout le monde
　　　　　et pesta contre tout.
Il servit à la famille
　　　une ritournelle de jurons et de sacres
　　　　　　　impressionnante.
Inutile de le raisonner :
　　　il était « grimpé » dans tous les rideaux de la maison.
Il alla se coucher avec sa mauvaise humeur.
C'est alors que la foi de Gertrude entra en action !

Elle attendit patiemment
en silence
que son Serge fut bien endormi.
Puis, elle entra doucement dans la chambre à coucher.
Savez-vous ce qu'elle fit?
Elle mit calmement sa main
sur le front de son grand gars,
et elle pria ;
elle invoqua l'Esprit Saint :
« Esprit de paix,
donne à Serge,
ta douceur,
ta tendresse.
Esprit de bonté,
répands ton amour
sur lui,
pour qu'il se réveille
demain matin
calme, détendu,
de bonne humeur. »
Elle fit lentement un grand signe de croix
sur son fils et ensuite sur elle.
Puis, elle alla se coucher.

Le lendemain matin,
Serge se réveilla le sourire aux lèvres,
gai comme un pinson
aimable et agréable,
et déclara qu'il avait passé une bien bonne nuit.

Tout le monde fut bien surpris dans la famille,
excepté Gertrude… évidemment !
Brave Gertrude !
et
brave Esprit Saint !

En vérité,
je vous le déclare,
si un jour vous avez la foi
et ne doutez pas,
non seulement
vous ferez ce que je viens de faire...
mais même
si vous dites à cette montagne:
  Ote-toi de là
et jette-toi dans la mer:
CELA SE FERA.

Tout ce que vous demanderez
dans la prière
avec foi,
vous le recevrez.
        (Mt 21, 21-22)

Lucie

Lucie est seule.
Veuve depuis quatre mois.
Seule avec trois enfants.
Trois enfants en bas âge.
Elle s'est trouvé du travail.
Il faut bien gagner sa vie
    et celle des petits!
Mais il faut aussi payer la gardienne!
Les fins de mois sont terribles:
    le loyer, le téléphone, l'électricité...
Et puis, il y a les médicaments
    quand on est malade.
Et les petites gâteries
    qu'il faut bien donner aux enfants de temps en temps.
Lucie doit tout compter
    jusqu'au dernier sou;
    les revenus: salaire, allocations familiales...
    les dépenses aussi!
Si tout va bien,
si rien d'imprévu n'arrive,
elle réussit le tour de force de boucler son budget.
Mais dès qu'un accident survient,
c'est le cauchemar.
Et y a-t-il beaucoup de mois
    où tout arrive tel que prévu?
Plus souvent qu'à son tour,
    Lucie est à bout de nerfs.
Le désespoir frappe à sa porte,
    la dépression aussi.
Et les enfants sont tristes...
    et que c'est triste à voir des enfants tristes!

O Dieu,
    toi qui as jeté un regard de tendresse
        sur les petits, les enfants,
        sur la veuve de Naïm,
        sur les pauvres et les faibles,
    suscite dans le cœur d'un homme riche
        assez de générosité et de bonté
        pour qu'il vienne en aide à Lucie et
                à ses enfants;
    pose ta main sur elle,
        afin qu'elle Te découvre
        à travers celui qui lui
        fera l'aumône.
    Amen.

---

*Ne détourne jamais
ton visage d'un pauvre,
et Dieu ne détournera pas le sien de toi.*

(Tb 4, 7)

*La religion pure et sans tache
devant Dieu, le Père,
la voici:
visiter les orphelins et les veuves
dans leur détresse...*

(Jc 1, 27)

Prière des délaissés

Ô Seigneur,
 toi qui as eu pitié
  dans ta tendresse
  de cette veuve qui venait de perdre son fils unique !
 toi qui as secouru
  dans ton amitié
  Marthe et Marie qui venaient de perdre leur frère, Lazare !
 toi qui as redonné courage
  dans ta bonté
  à Jaïre qui venait de perdre sa petite fille !
 toi qui as rendu l'espoir
  dans ta sollicitude
  au centurion qui venait de perdre son serviteur !
 toi qui as fait revivre
  dans ton amour
  ta mère qui allait te perdre !
Nous t'en supplions,
 ne nous abandonne pas;
 redonne-nous courage, force, espoir;
 garde-nous dans ta bonté, ta tendresse, ton amour;
 conduis-nous sur les chemins de la fraternité,
  du partage, de l'amitié;
 que nous ne soyons plus jamais seuls !
  Amen.

L'écriture de Dieu...

« Dieu écrit droit,
sur les lignes courbes de notre vie »

(proverbe portugais)

Nous lisons assez facilement les lignes courbes :
ce sont tout particulièrement les événements importants,
qui marquent notre vie,
qui lui font prendre des tournants;
ils s'habillent parfois de joie, de bonheur :
fiançailles, mariage, promotions, honneurs, etc.
mais parfois ils apportent la douleur, le malheur :
maladies, deuils, séparations, chômage, etc.;
ils nous font ou nous défont.

Avec le fil des années,
nous constatons
que chaque événement a joué un grand rôle
dans notre vie;
bien plus,
nous nous apercevons que ces événements
sont liés entre eux,
nous voyons qu'ils sont comme cousus
entre eux par un fil conducteur.

Avec un peu de recul,
nous découvrons
que nos vies sont menées,
qu'elles sont conduites !
Pour les uns,
cela s'appelle destin, fatalité.
Pour les autres,
cela s'appelle Providence divine.

C'est peut-être cela l'écriture droite de Dieu !
Apprendre à la lire est un art !
nous ne disposons pas toujours de prophètes
pour le faire, comme au temps d'Israël.
C'est aussi une grâce qui se demande à Dieu.
Lire les lignes droites de notre vie
à travers les lignes courbes,
pour y découvrir
la volonté de Dieu
qui est amour inlassable
pour chacun de nous !

Je t'aime d'un amour éternel.

Patience...

Vas-tu gâcher ta journée
et celle de tes compagnons de travail,
parce que, en venant à ton bureau,
un camion t'a coupé la route
et que la femme qui te précédait
ne conduisait pas sa voiture comme toi ?

Allons ! Un peu de patience et de tolérance !
Tes nerfs et ta tension artérielle s'en porteront mieux !
Tes collègues aussi !

En toute humilité et douceur,
avec patience,
supportez-vous
les uns les autres,
dans l'amour.
(Éph 4, 2)

Être heureux...

Partout... toujours
les hommes ont cherché le bonheur !

Là-dessus,
nous ne sommes pas différents de nos ancêtres.

Comme eux,
    nous cherchons,
    nous tâtonnons !

Où est-il le bonheur ?
    Dans l'argent ?
        Les gens riches
            ne sont pas tous heureux
            et ceux qui le sont
            le doivent-ils exclusivement à leur fortune ?
    Dans le sexe ?
        Après les quelques instants de plaisir,
            que reste-t-il,
            si l'amour n'est pas là ?
    Dans l'alcool, la drogue ?
        Allez le demander à ceux qui s'y adonnent,
            à ces paradis artificiels !
            Perpétuels insatiables... perpétuels insatisfaits !
    Dans le pouvoir ?
        Le pouvoir rend heureux uniquement
            s'il se transforme en service des autres !
            Le dictateur, grand ou petit, est-il heureux ?
            Comment pourrait-il l'être,
            celui qui opprime,
            celui qui entrave le bonheur de ses sujets ?
    Dans la science ?
        Oui, si elle conduit au service des autres.
        Si elle conduit à l'égoïsme,
        c'est foutu pour le bonheur !

Dans les arts?
    Oui, s'ils sont partagés!
    Etc.

Comme toi, je cherche, moi aussi,
    le bonheur.
Et je n'ai pas de recette là-dessus.
Mais j'ai vu quand des gens étaient heureux
et je sais ce qui me rend heureux!

T'es-tu déjà assis sur le plancher ou
        sur le gazon
    pour jouer avec des petits enfants,
    te rouler par terre avec eux,
    chanter, rire, danser avec eux?
Essaie, tu verras comme c'est merveilleux!

T'es-tu déjà levé assez tôt
    pour voir les premiers rayons du soleil
    jouer dans les gouttes de rosée des fleurs
    et les transformer en prismes cristallins?
    Les plus beaux bijoux du monde ne valent pas
    ces purs joyaux!

As-tu contemplé le silence des vieillards,
    la douceur de leurs yeux,
    la tendresse de leur sourire,
    l'expérience de leurs mains?
    Ces instants sont uniques!

T'es-tu arrêté au spectacle de lumière
    que donnent les « mouches à feu »
    par une belle nuit d'été?
    C'est un beau feu d'artifice!

As-tu savouré
    la tendresse de l'amitié,
    la délicatesse de l'amour,
    la joie du partage?

Sais-tu
    la satisfaction qu'il y a
        à donner,
        à faire plaisir,
        à t'oublier?

Oui, je le tiens pour acquis,
    le vrai bonheur
        est dans les petites choses et les joies simples,
      est à la portée de la main du pauvre
            comme du riche,
      est gratuité et don,
      est amour et amitié.

Charles et Stéphanie

La maman avait fait un gâteau délicieux :
    essence de bananes et amandes.
Moi, je ne m'y connais pas en recettes !
    mais les cuisinières disent que c'est un gâteau magnifique ;
    en tout cas, pour y avoir goûté, je l'ai trouvé superbe !
Le petit Charles, cinq ans, en a demandé un morceau à sa maman.
    Il y a goûté du bout de la langue,
    l'a violemment repoussé et a dit à sa maman :
    « Il n'est pas bon ton gâteau, je n'en veux pas ! »

Réaction d'enfant ! Bien sûr !
Mais,
amour inconditionnel de la maman :
    malgré le refus du petit Charles,
    elle ne continuera pas moins de l'aimer :
    elle fera d'autres gâteaux
    et les offrira encore à Charles.
    Car, une maman, c'est ainsi fait !
    ça ne ferme jamais le cœur…
    ça continue à aimer !

Le Papa avait vu dans la vitrine du magasin
    une belle bicyclette, juste de la bonne dimension
    pour Stéphanie, sa petite fille de six ans.
Il y a si longtemps qu'elle lui demandait ce cadeau.
N'écoutant que son amour pour sa fille,
    papa entre chez le marchand
    et achète la bicyclette.

Stéphanie saute de joie
et embrasse son père bien fort pour « ce beau cadeau ».
Deux jours plus tard, en revenant de son travail,
    papa fait face à une Stéphanie en pleurs et en colère :

« Tu m'as donné un bicycle qui ne vaut rien !
il est déjà cassé ! tu peux les garder tes cadeaux ! »

Patiemment, papa prend la bicyclette
et la répare dans sa remise.
Puis, il la redonne à Stéphanie qui saute de joie.
Le cœur des papas est fait pour pardonner et pour aimer.
Ainsi se fait l'apprentissage de la vie,
et les mamans et les papas qui aiment
le font spontanément.

Dieu est notre Père
et nous sommes ses enfants :
devant nos oublis, nos ingratitudes,
Il nous traite avec autant d'amour
que les papas et les mamans de la terre !

---

*Quel père parmi vous,
si son fils lui demande un poisson,
lui donnera un serpent
au lieu du poisson?*

*Ou encore s'il demande un œuf,
lui donnera-t-il un scorpion?*

*Si donc vous, qui êtes mauvais,
savez donner de bonnes choses à vos enfants,
combien plus le Père céleste
donnera-t-il l'Esprit Saint
à ceux qui le lui demandent?*

(Lc 11, 11-13)

Prière du petit enfant

Seigneur Jésus,
    je sais qu'un jour tu as dit :
        « Laissez venir à moi les petits enfants » ;
    je sais que tu les aimais, les petits enfants ;
        tu les caressais, tu les embrassais,
        tu aimais être avec eux.
Moi, je suis encore un enfant :
    je te demande d'être toujours avec moi !
    fais que j'aime aussi être avec toi !
    donne-moi de bonnes idées !
    fais que je sois toujours joyeux !
Je te prie aussi pour mon papa et ma maman :
    qu'ils m'aiment toujours,
    qu'ils m'aident à grandir en ta compagnie,
        que je leur dise un gros merci pour tout ce qu'ils font pour moi !
Je ne veux pas non plus oublier mon grand frère et ma petite sœur :
    parfois, je les trouve bien fatigants,
    mais je les aime bien au fond !
    aime-les toujours
        afin qu'eux aussi ils t'aiment.
        Amen.

Olivier et Martin

Olivier est un bougonneux !
     Il rouspète toujours ;
     il a l'œil sévère
          et la bouche peu souriante.
     Demandez-lui un service :
     il grogne,
     mais il le rend toujours !
Martin a bon caractère !
     Il a le sourire facile
          et une fort belle façon.
     Il est de compagnie bien agréable.
     Demandez-lui un service :
     il s'empresse de dire oui,
     mais plus souvent qu'autrement il ne le fait pas !

J'aimerais qu'Olivier ait le sourire de Martin
     et que Martin ait la fidélité d'Olivier !
Mais, tout compte fait,
     j'aime mieux Olivier le grincheux
          que Martin le ronronneux !
Et toi ?

Un homme avait deux fils.
     Il dit au premier :
     « Mon enfant,
     va donc aujourd'hui
     travailler à la vigne. »
     Il lui répond :
     « Je ne veux pas. »
     Mais, un peu plus tard,
     il se repentit
     et il y alla.

Il dit la même chose
au second.
Il lui répondit :
« J'y vais. »
  Mais il n'y alla pas.

Lequel des deux a fait la volonté de son père ?

(Mt 21, 28-31)

Un simple maringouin

Albert était fatigué :
    il avait travaillé dur toute la journée.
Aussi, avait-il décidé de se reposer à son goût !
    il avait tout planifié :
    d'abord, en arrivant à la maison,
        il prendrait une bonne douche ;
    ensuite, en robe de chambre,
        il lirait son journal :
    puis, en fumant un bon cigare,
        il regarderait les nouvelles au petit écran ;
    enfin, il irait se coucher détendu,
        et dormirait du sommeil du juste !

De fait,
    tout se déroula selon le plan prévu :
        la douche, les nouvelles, le cigare.
Quand Albert entra dans sa chambre à coucher,
    c'était un homme heureux
        qui allait se coucher
        et qui déjà savourait les caresses de Morphée !
Seulement Albert ne pouvait pas tout prévoir.
Et c'est là que son plan se mit à mal fonctionner.
Il n'était pas sitôt enfoui sous ses draps
    qu'un maringouin, un tout petit maringouin,
    qui venait d'on ne sait où,
se mit à frapper à la porte de son oreille.

Albert le chassa d'un revers de main
    et se calla un peu plus dans son oreiller.
Il était au bord du sommeil,
    quand un bruit familier
        frappa de nouveau son tympan.
Albert sursauta dans son lit
    comme au milieu d'un cauchemar :

ses mains décrivirent quelques grands cercles
autour de sa tête.

Le bruit disparut:
Albert, un peu énervé,
se renfrogna sous son édredon.
Mais c'est bien peu connaître les maringouins
que de penser qu'ils abandonnent la partie
après seulement deux essais!
Albert avait commencé à compter quelques moutons
quand il entendit le vrombissement redoutable.
Subitement, Albert fut complètement réveillé.
Il décida d'en finir avec cette bestiole de malheur.
Il fit de la lumière
alla chercher son journal et s'en fit
un tue-mouche
et il se lança à la chasse de cet ennemi exécrable!
Mais, où diable pouvait-il être?
Albert scruta et rescruta chaque pouce carré
de ses murs,
de son plafond,
de son plancher!
pendant une heure,
la rage au cœur,
l'œil violet,
il chercha ce maudit maringouin!
Mais il ne trouva rien, rien, rien!
De guerre lasse,
fatigué, énervé, malheureux,
Albert s'étendit sur son lit et... s'endormit!
Il se réveilla le lendemain matin
avec une belle piqûre... de maringouin
sur la paupière gauche.

Pendant qu'il buvait son café
et mangeait ses œufs au bacon,
Albert se disait que finalement
il eût peut-être mieux fait de se laisser piquer
dès la première attaque,

puisque, de toute façon,
le résultat avait été le même!
Au moins, il aurait dormi plus vite!

Dans son auto qui l'amenait au bureau,
Albert continuait à philosopher!
Combien de fois dans une journée
il y a des « maringouins » qui nous agacent!
c'est un client qui nous fait perdre une heure
de notre précieux temps!
c'est une rage de dents!
c'est le spaghetti que déjà l'on salivait
et qui goûte le brûlé!
c'est le voisin qui mâche de la gomme au cinéma
et qui vient gâcher toute la soirée!
c'est le policier qui me colle une contravention
pendant que je dîne!
c'est une crevaison qui me retarde!
c'est la commère qui ne quitte pas la
cabine téléphonique alors que j'ai
un téléphone pressé à faire!
c'est... c'est... c'est...!
Et Albert se disait:
« Finalement, dans la vie,
ce ne sont pas les gros « bourdons »
qui nous font le plus mal,
ce sont les petits « maringouins »
qui picossent juste assez
pour nous affoler,
pour nous impatienter,
pour nous mettre hors de nous-mêmes.
Peut-être, mon vieil Albert,
vaudrait-il mieux de te laisser « piquer »
calmement
patiemment,
plutôt que de dépenser tes énergies
à résister,
à combattre,
pour perdre le combat de toutes façons? »

Et Albert,
le très sérieux Albert,
se surprit à rire très fort,
tout seul,
dans sa voiture,
et à se donner une grande tape
sur la cuisse droite !

Le fruit de l'Esprit est;
amour,
joie,
paix,
patience,
esprit de service,
bonté,
confiance dans les autres,
douceur,
maîtrise de soi.
(Gal 5, 22)

Ayez de la patience envers tous.
(I Th 5, 14)

... *le bien pour le mal* ...

Henri est un homme endurci...
      il en a vu des « vertes » et des « pas mûres » dans sa vie !
      il pensait même avoir tout traversé...!
Mais voilà qu'il vient une fois de plus de
         rencontrer sur sa route l'injure,
                           l'opposition,
                           l'obstruction systématique...
Encore, si cela lui était venu en pleine face,
                        de ses ennemis connus...
Mais cela lui est arrivé dans le dos
         et par ceux qu'il pensait ses amis
               incapables de telles bassesses !
Il a été tenté
      de s'abandonner à la colère,
                        à la rancœur,
                        à l'amertume,
                        à l'aigreur.
C'est alors que, par un pur hasard,
         il s'est retrouvé à prendre une bière
               avec Antoine, son vieil ami.
Antoine l'a écouté calmement
      puis il lui a dit sagement :
« Non, il ne le faut pas ! mon vieil Henri !
Regarde ton front : il est tout ridé.
Tu veux que ton cœur le soit aussi ?
Une source d'eau fraîche coule en ton cœur :
Ne laisse pas la haine
      ou même seulement l'incompréhension la tarir.
Ne te laisse pas avoir par ces menteurs
      plus dangereux que tes persécuteurs.
Ton cœur vaut plus que cela ! »

En retournant à la maison,
Henri réfléchissait...
      et déjà de son cœur montait une prière
            qu'il a faite avant de se mettre au lit :

« Seigneur,
　　　garde-moi de juger mes opposants.
　　Ils sont pris, comme moi,
　　　　dans le tourbillon des événements de la vie,
　　　　dans l'écheveau mêlé des passions,
　　　　dans l'épaisseur du mal !
　　Je te laisse le soin et l'amour de démêler
　　　　tout cela.
　　Fais que je sois bon pour mes ennemis !
　　Ne permets pas aux yeux de mon âme de voir le mal.

(Is 33, 15)

Aide-moi à aller droit mon chemin.
　　à construire ! à projeter ! dans l'enthousiasme !
　　à regarder en avant... pas en arrière !
Donne-moi de
　　ne pas rendre le mal pour le mal,
　　pas même en pensée.
Et si toi, Seigneur, tu me fais signe...
　　rends-moi assez fort pour rendre
　　même le bien pour le mal ! »

Ce soir-là,
　　Henri s'endormit l'âme en paix
　　　　et le cœur rafraîchi.
　　Et l'amour de son bien-aimé Sauveur
　　éclata dans toute sa gloire !

Soyez miséricordieux comme votre Père est miséricordieux.
(Lc 6, 36)
Ne vous posez pas en juges.
(Mt 7, 1)
Bénissez ceux qui vous persécutent, bénissez, ne maudissez pas.
(Rm 12, 14)
Faites du bien à ceux qui vous haïssent.
(Lc 6, 27)
Alors, votre récompense sera grande,
vous serez les fils du Très-Haut,
car, il est bon, lui,
　　pour les ingrats et les méchants.
(Lc 6, 35)

Prière du pécheur

Par David, l'adultère et le meurtrier,
    qui s'est repenti,
        pardonne-moi, Seigneur.
Par Marie-Madeleine, la prostituée,
    qui a baigné tes pieds de ses larmes,
        pardonne-moi, Seigneur.
Par Zachée, le voleur,
    qui t'a accueilli dans sa maison,
        pardonne-moi, Seigneur.
Par la femme adultère,
    qui ne s'est pas sentie condamnée par toi,
        pardonne-moi, Seigneur.
Par Pierre, le renégat,
    qui a lancé ton Église,
        pardonne-moi, Seigneur.
Par Paul, le persécuteur,
    qui t'a si bien fait connaître,
        pardonne-moi, Seigneur.
Par la Samaritaine, l'épouse non mariée,
    qui t'as donné de l'eau à boire,
        pardonne-moi, Seigneur.

La vérité...

Être vrai...
Être droit, franc, honnête !
Sans peur et sans reproches !

Jésus, un jour, a dit :
  « La vérité vous rendra libres » (Jn 8, 32).

Il avait pour la vérité une véritable passion;
Il fut la bonté incarnée pour tous
    sauf pour les hypocrites, ces faussaires de la vérité,
    et pour les orgueilleux, ces porte-à-faux ambulants.
Devant Pilate, il a affirmé :
  « Quiconque est de la vérité écoute ma voix » (Jn 18, 37).

Il y a des personnes qui mènent deux vies :
    celle que l'on voit
    et celle qu'elles seules connaissent.
Elles portent un masque
    sur leur vrai visage.
Elles se fabriquent une façade.
Elles ont un visage à deux faces
    et portent une casquette à deux palettes.
Elles pourront, si elles ont de la chance, tromper leur entourage,
    longtemps, peut-être même toujours !
Mais, ce qui est embêtant... c'est qu'un jour
    elles finiront par se tromper elles-mêmes,
    n'étant plus capables de distinguer
    lequel de leurs deux visages est le vrai.
Tandis qu'il est encore temps
    pourquoi ne troqueraient-elles pas leur casquette
        pour une vraie ?
    pourquoi ne jetteraient-elles pas leur masque
        à la poubelle ?

Elles sont enchaînées.
Elles ont besoin d'être libérées.

D'autres sont portés à « arranger » les faits
        à leur avantage.
Ils sont devenus des spécialistes de la « manigance »
        et de la « combine ».
Ou ils sont tout simplement de vulgaires menteurs,
        opportunistes ou fumistes.
Parfois ils « inventent » pour épater la galerie,
        pour se faire une belle jambe?
Mais, ce qui est embêtant...
        c'est qu'ils finissent par croire leurs propres mensonges,
        ils ne savent plus distinguer le vrai du faux.
S'ils ne marchent pas droit,
        s'ils ne disent pas vrai,
        s'ils « crochissent » la réalité...
tôt ou tard,
cela se retournera contre eux.
Ils sont enchaînés.
Ils ont besoin d'être libérés.

Les hommes libres,
les hommes vrais,
        sont encombrants.
Ils nous dérangent,
        nous insécurisent,
        nous culpabilisent,
                par leur seule présence.
C'est qu'ils nous démasquent...
        et nous n'aimons pas cela.
Alors nous ripostons.
Nous avons un bel arsenal pour affronter
        et finalement abattre les hommes vrais:
                médisances,
                calomnies,
                injures,

colères,
bêtises,
affrontements,
jalousie,
chantage, etc.

Vous connaissez la chanson de Béart:
« Le témoin a dit la vérité
Il doit être exécuté! »

Heureux celui qui dit vrai,
celui qui marche droit,
celui qui est franc!
Heureux celui qui résiste au mensonge,
celui qui se tient debout devant
l'hypocrite et l'orgueilleux,
celui qui ne cède pas au chantage!
Heureux celui qui refuse les pots-de-vin,
celui qui n'est « achetable » à aucun prix,
celui qui rejette trahison et reniement!
Heureux celui qui est fidèle à la parole donnée,
celui qui ne sait pas comploter,
celui qui ne farde pas la vérité!
Heureux celui-là…
car c'est un homme libre…!

Vous connaissez le drame de Jésus
devant Pilate, l'opportuniste:
pour s'être tenu debout,
il a fini sur une croix!
Vous connaissez l'histoire de Jean le Baptiste
devant Hérode, le faible:
pour avoir dit la vérité,
il a payé de sa vie!

Les gens n'aiment pas ceux
qui se tiennent droit,
sans dol et sans reproches,
devant eux.

leur transparence les éblouit trop
leur fait trop voir leur opacité.

Et pourtant,
malgré les ambitions des hommes,
faisons de la vérité une passion dans notre vie!
par-delà les intérêts possibles,
vouons un culte inconditionnel à la droiture!
face au chantage et à l'hypocrisie,
ne nous lassons pas de pratiquer la franchise!

Un homme libre!
Un homme vrai!
Que c'est beau,
Que c'est grand!
Comme Jésus devant Pilate,
Comme Jésus sur la croix,
Comme Jésus ressuscité!

---

*Jusqu'à la mort lutte pour la vérité,
Et le Seigneur ton Dieu combattra
pour toi!*
(Si 4, 28)

La vieille...

Elle était venue à la mer...
 respirer l'air salin,
 contempler l'océan.

 Elle était venue seule...
 à soixante-quinze ans!

Dehors, il faisait trente degrés:
 les jeunes et leurs parents
 sortaient du motel
 en costumes de bain...
 elle,
 elle sortait
  avec un mouchoir sur la tête,
  avec des gants de soie aux mains,
  avec une gabardine sur le dos!
 les grandes personnes la regardaient
  d'un œil discret,
 les jeunes souriaient entre eux
 et les enfants riaient de bon cœur!
 de son œil vif,
  elle voyait tout cela...
  et comprenait tout!

Elle allait s'asseoir
 sur un banc de la promenade,
 face à la mer,
 pendant des heures.

Là,
 elle regardait
  les enfants construire des
   châteaux de sable sur la plage,
  les jeunes s'ébattre dans l'eau...
elle écoutait
 la mer rouler ses vagues
 le vent soulever le sable...
puis,

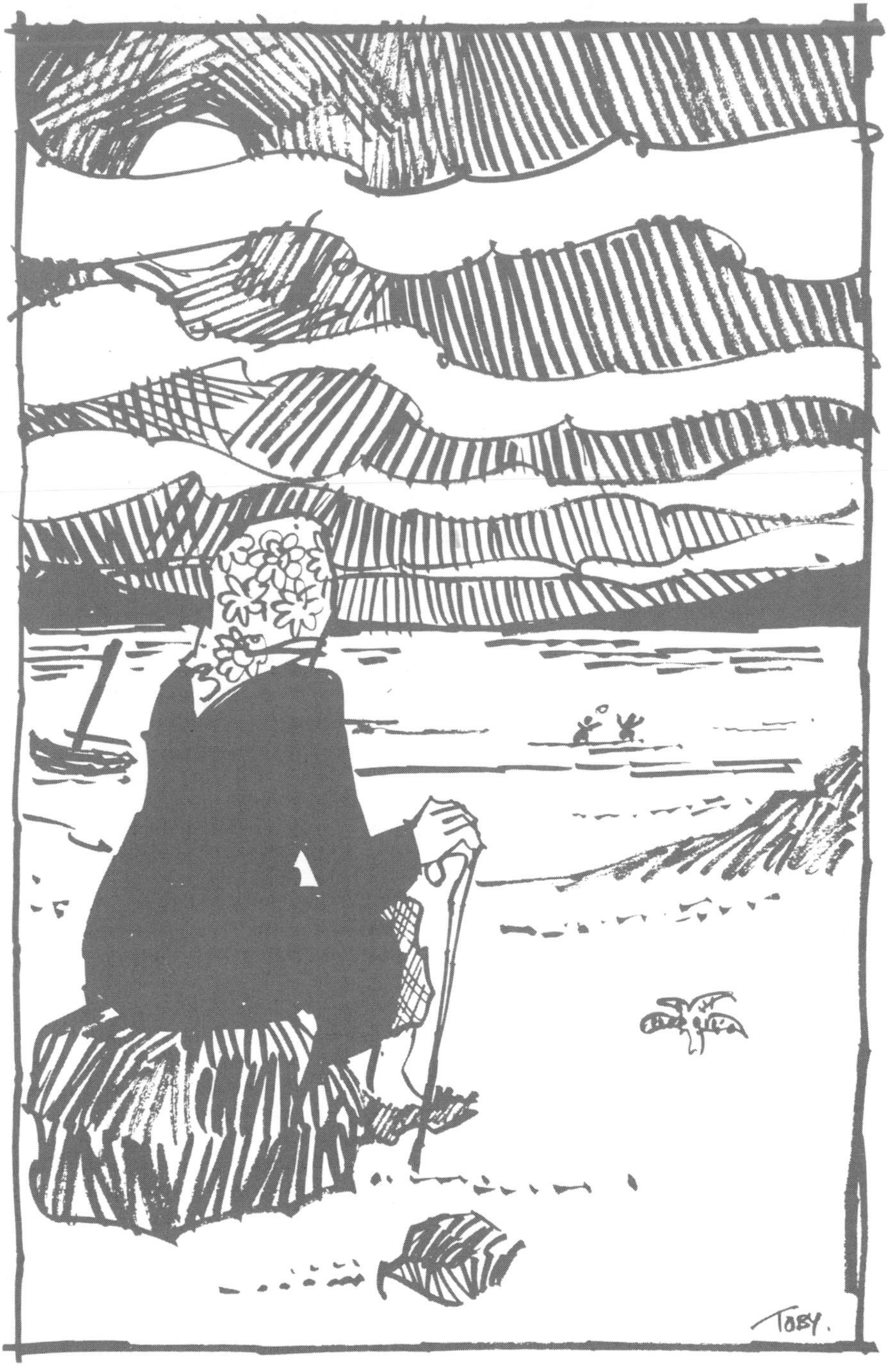
TOBY.

elle tirait de sa bourse
   un petit livre,
   un livre de prière :
tout doucement,
sans déranger personne,
devant l'immensité des flots,
elle disait les prières de son enfance.

d'autres fois,
   c'est son chapelet
      qu'elle sortait de son sac
      et
      qu'elle cachait dans les plis de son manteau.

Deux semaines durant,
   tous les jours,
   elle refit les mêmes gestes.
   Seule !
Puis, un beau matin,
   un taxi vint la chercher.

Qui dira le mystère
   qui se cachait derrière cette vieille dame ?
On ne sait pas !
Refus de se laisser mourir ?
   cure de santé ?
   jeunesse à revivre ?
   préparation au grand départ ?
Faut-il pleurer,
   faut-il en rire ?
On ne saura jamais !

Les vieux ont des choses à nous apprendre !
   Si on savait les écouter
                   les regarder
                   les contempler !
   Si on savait les aimer
                   les savourer
                   les servir !
   Si on savait comprendre !

133

La haie de Normand
ou le gavage

Normand avait une haie magnifique :
   cinq cents pieds de cerisier japonais,
   six pieds de hauteur,
   trois de largeur,
   feuillage lustré,
   reflets fauves,
   fleurs éclatantes...
   un petit chef-d'œuvre de haie !

Quand Normand avait de la visite,
il ne manquait jamais de lui faire voir sa haie,
et tous poussaient des oh ! et des ah ! d'admiration.

Normand avait aussi un jardinier :
   il tondait la pelouse
   et il « prenait soin » de la haie.
Normand lui faisait confiance comme à lui-même.
Et Albert, le jardinier, s'occupait de la haie :
   il la tondait,
   il l'arrosait,
   il la nettoyait.
Et tout était parfait !

Un beau jour de fin d'août,
Albert décida de rendre la haie encore « plus belle et plus vite » !
Il engraissa le sol avec autant d'abondance que d'espoir.

Mais, on n'engraisse pas un plant à la fin de l'été,
   c'est bien connu !
Et Albert ne tarda pas à s'en rendre compte :
le cerisier se mit à fabriquer un nouveau feuillage,
   si bien qu'il « produisait » encore à la fin d'octobre,
   ce qui en termes de botanique,
   est proprement une aberration sans nom.

Normand, qui n'était pas au courant de
      l'opération « engrais »,
   se demandait ce qui se passait
   et au fond se réjouissait de la « vigueur exceptionnelle »
   de ses cerisiers.

Arriva le printemps.
Le cerisier fit très précocement
                trop précocement
                des feuilles magnifiques.
Une gelée tardive passa:
        le cerisier perdit toutes ses feuilles
        alors que les autres arbres n'en avaient pas encore!
Normand craignit la catastrophe.
Il attendit un peu de chaleur...
Plus aucune feuille,
rien que des branches apparemment mortes.

Normand consulta son jardinier...
        qui avoua l'opération-engrais.
Alors, Normand piqua une belle crise de nerfs
        et renvoya Albert.
Il prit résolument la situation en mains,
        c'est-à-dire qu'il prit les ciseaux,
        et, dans un geste héroïque,
        il rasa sa haie à six pouces du sol...
Puis, mi-rageur, mi-confiant,
        il se surprit à chantonner:
        « J'attendrai le jour et la nuit... » !

Par un beau matin de juillet,
        il finit par découvrir des petits bourgeons
                sur ses cerisiers;
        trois jours plus tard, les feuilles éclataient!

Il ne faut pas « gaver » les plantes:
        on force leur cycle,
        on dérange leur rythme de croissance ;
        elles ne sont plus accordées aux saisons de la nature!
        des « aberrations » se produisent:
                feuilles en novembre,
                branches mortes en juin!

La sur-alimentation produit des poulets rapidement
        mais ils sont farineux et fades.
Elle produit aussi des obèses,
                des triple-mentons,
                des calculs biliaires,
                du cholestérol,
                des infarctus…!
Finalement, elle est presque pire que la sous-alimentation!
Ni trop, ni trop peu!
De la mesure en tout!

Pourquoi tant de chrétiens ont-ils abandonné
        la pratique dominicale
    et la pratique chrétienne tout court bien souvent?
    peut-être ont-ils été « gavés » de doctrine, de lois, de rites…
        qu'ils n'ont pas fourni à digérer!
Alors est venu l'hiver,
    c'est-à-dire un changement de conditions extérieures:
    le monde, comme on dit,

est devenu pluraliste et sécularisé.

Un bon nombre sont passés
    de la sur-alimentation
    à la sous-alimentation spirituelle,
    ce qui n'est guère mieux!
Les endoctrinés, les moralisés, les embrigadés,
    après avoir sur-fleuri,
    ont subitement perdu leur feuillage!
On peut souhaiter
    que l'opération-ciseaux, qu'ils ont pratiquée
        dans leur vie chrétienne,
        les conduira à un nouveau feuillage
          à une nouvelle floraison,
        et que leurs fruits nouveaux
          dépasseront la promesse de leurs fleurs!

Heureux l'homme
qui se refuse à suivre l'infidèle...
mais s'attache à la loi du Seigneur,
méditant cette loi, le jour et la nuit.

Il sera comme un arbre,
planté près d'un cours d'eau,
qui donne du fruit en son temps,
et jamais son feuillage ne se dessèche...

(Ps 1)

Arrose tant que tu peux
le jeune plant
qui pousse sur le béton...
il ne vivra pas vieux ni fort:
il n'a pas de racines!
Catéchise tant que tu peux
le chrétien
qui pousse sans communauté...
il ne sera pas fort:
il n'a pas de racines!

Travailler...

Travailler !
Travailler !
Toujours travailler !
Chaque jour recommencer !
Et pourquoi?
Pour quel résultat?
Je suis fatigué ! tanné ! vanné ! fané !
À quoi bon tous ces efforts !
Pourquoi se morfondre?
La terre tournera quand même sans moi !
Qu'est-ce que j'apporte de plus au monde?
Les gens ne se doutent même pas
    que je me désâme à travailler !
Demain,
    je ne me lèverai pas !
    je reste au lit,
      malgré l'avalanche de besognes qui me tombent dessus !
Demain,
    c'est mon sabbat !
    au diable les urgences !
    je reprends mon souffle !

Seigneur,
    je suis las,
      je suis accablé, surmené !
Toujours le collier sur le cou !
Ce qu'il en faut des sueurs
    pour la faire tourner, cette terre !
Toi, sur les routes de Galilée,
    cela t'est-il arrivé
      d'être fatigué de tout,
        de tous,
        de ton Père ?

as-tu déjà voulu, *Toi,*
tout abandonner
tout lâcher ?
As-tu déjà désiré,
au cœur de ton surmenage,
ces paradis artificiels,
ces oasis de mirage,
ces évasions de rêve ?
Quand tu t'es assis sur la margelle du puits
avec la Samaritaine,
quand tu avais soif...
à quoi songeais-tu ?
Et quand tu t'es endormi dans la barque
au milieu de la tempête,
quand on t'a réveillé,
à quoi rêvais-tu ?
Et quand tu priais seul le soir
sur la montagne,
disais-tu parfois à ton Père :
à quoi bon ?
pourquoi se faire mourir ?
Et à Gethsémani,
dis, tu devais « avoir ton voyage » !
Qu'est-ce qui t'a retenu ?
qu'est-ce qui t'a empêché de rebrousser chemin ?
Quand tu as crié à ton Père :
« pourquoi m'as-tu abandonné »,
sont-ce les clous qui t'ont retenu au bois ?
Dis...
Je veux savoir !

Mon ami, mon frère !
Moi, aussi,
j'ai connu les journées épuisantes,
le travail harassant !
j'ai connu la nuit des tâches inutiles,
le goût de tout lâcher !
j'ai connu le désir de m'évader,
l'absence du merci qui fait tant de bien !

j'ai connu l'essoufflement,
          la fatigue,
          le « tournage-en-rond ».
Ce qui m'a retenu de partir,
                    d'abandonner,
     ce n'est pas l'orgueil ou l'amour-propre,
          la peur de passer pour un lâche !
     ce n'est pas le goût de la performance inédite,
          la fierté de relever un défi exceptionnel !
     ce n'est même pas mon Père,
          même s'il fallait que sa volonté soit faite !
     non, ce qui m'a retenu,
          crois-le ou pas,
          c'est toi,
          oui, toi et tes frères les hommes !
Je t'aime trop
     pour t'abandonner,
     pour lâcher le travail qui pour toujours
                         allait m'unir à toi !
Tu as assez de prix à mes yeux
     pour que je le paie en sueurs,
                    en labeurs,
                    en souffrances,
                    en mort même !
Si tu as aimé,
     tu es capable de comprendre cela !
     un père n'abandonne pas son travail,
          même très dur,
          s'il aime sa famille !
     une mère ne ménage pas son temps
                    ni ses forces
          pour l'amour de ses enfants !
     un fiancé fait du temps supplémentaire
          pour son futur foyer !
Et toi,
     tu vas paresser
          alors que les tiens comptent sur toi !
Et moi,
     j'aurais lâché
          alors que tu comptais sur moi !

Non, mon fils et mon frère,
je t'aime...
je t'aime...
je t'aime!

Voici ce qu'est l'amour:
ce n'est pas nous qui avons aimé Dieu,
c'est Lui qui nous a aimés
et qui a envoyé son Fils
en victime d'expiation pour nos péchés.

Mes bien-aimés,
si Dieu nous a aimés ainsi,
nous devons, nous aussi,
nous aimer les uns les autres.

(I Jn 4, 10-11)

Prière de fin du jour

Seigneur,
      je suis à nouveau devant Toi
                  en cette fin de journée.
Que de labeur depuis quelque temps...
      les jours n'en finissent plus d'apporter
          plus que leur quantité de travail;
      à force de besogner sans arrêt,
         on ne voit plus le temps passer !
C'est cette somme de travaux
      que je dépose à tes pieds
              ce soir .
Prends-la dans tes mains,
      ces mains qui ont béni,
          qui ont caressé les enfants,
          qui ont guéri .
Car, je suis las, ce soir, Seigneur !
      pourquoi se morfondre au travail !
      les hommes ne reconnaissent même pas ce
         qu'on fait pour eux !
      rien, pas même un petit merci !
Mais, pourquoi me plaindre ?
Tu as connu cela, Toi, l'ingratitude humaine,
         jusqu'à en mourir !
Prends-moi dans ton cœur !
Pose ta main sur moi !
Que je sache qu'en travaillant pour mes frères,
      c'est pour Toi que je travaille.
        Amen.

Ô Dieu, pourquoi ?...

Adrien est un brillant chirurgien :
    à l'université, il a eu tous les premiers prix,
    à l'hôpital, il a la cote d'amour de tous les malades
        et toutes les infirmières aiment être à ses côtés quand il opère;
    son bureau ne « dérougit » pas de clients patients et confiants.
Sa réputation n'est pas surfaite :
    sa compétence n'a d'égale que sa prudence,
    et sa cordialité rivalise avec son dévouement.
Il est un des rares spécialistes de la ville qui acceptent encore
    de faire des visites à domicile...

Adrien revient justement de visiter un de ses malades;
    il a bravé la tempête de neige,
        la rafale,
        le froid sibérien ;
    mais voilà que soudain
        sa voiture s'immobilise ;
    impossible d'avancer ou de reculer :
    il est coincé dans un banc de neige.
Adrien ouvre sa valise d'auto,
    en sort une pelle...
    et fébrilement, dans le vent qui cingle,
        il pellette la neige.
Il n'en finit plus de dégager sa voiture !
Comment diable a-t-il pu s'enfoncer ainsi ?
Adrien soulève pelletées après pelletées...
Adrien sue à grosses gouttes,
    il a chaud malgré le froid !
    il est maintenant tout essoufflé !
Adrien sent tout à coup
        comme un coup de fouet traverser sa poitrine...
    il s'asseoit sur la banquette
        pour reprendre son souffle...

il respire de plus en plus péniblement...
il soupire... haletant!
après huit minutes, il expire!

Le lendemain,
on trouva son corps gelé sous la neige.

Adrien est mort!
42 ans,
une femme et trois enfants,
une carrière fulgurante,
un dévouement inlassable!

André vient de terminer ses études de droit:
ses professeurs ont vanté ses talents,
déjà il est embauché
par une étude des plus prestigieuses de la grande ville;
un avenir prometteur se profile devant lui.
Son parchemin sous le bras,
André a enfourché, joyeux, sa bicyclette:
il s'en va chez Louise, sa fiancée,
passer quelques instants de bonheur
et faire des plans pour leur futur foyer.
André roule sur son vélo,
léger, détendu, heureux.
Il a la tête dans les nuages, il rêve!
Il a le cœur en fête, il aime!
Il fait soleil dans tout son être!
Que c'est beau la vie, se dit-il gaiement.

Mais voilà que la roue avant du vélo d'André
se coince dans la rainure d'un rail de tramway.
André ne réussit plus à contrôler son véhicule...
Il perd l'équilibre...
fait une chute sur le pavé de béton.

André ne se relève pas !

Qu'y a-t-il ?

Les passants accourent...

Il y a déjà une mare de sang sous sa tête...

Vite, une ambulance...

À l'hôpital, les médecins ne peuvent
      que constater que tout est fini .

Une carrière brisée !

Une vie éteinte à la fleur de l'âge !

Tant de science perdue à jamais !

Un amour brisé pour toujours !

Des histoires
      comme celles d'André et d'Adrien,
        il y en a des milliers en ce monde .

Jamais, on ne s'habituera à de tels chocs !

Toujours, on dira : « Ça n'est pas possible ! »
      et puis : « Pourquoi, pourquoi, Seigneur ? »

Oui, pourquoi
      la vie est-elle si dure ?
    pourquoi
      la mort fauche-t-elle des vies merveilleuses ?
      la souffrance au cœur d'êtres qui aiment ?
    pourquoi ?
      pourquoi ?
      pourquoi ?

C'est absurde,
    ça n'a pas de sens,
      c'est folie !

Pourquoi, Seigneur ? pourquoi ?

O Dieu,
je ne te demande pas
     de m'expliquer le mystère de la mort;
je ne t'accuse pas
     d'être l'auteur de ces malheurs :
tu ne peux pas vouloir le mal !

Mais,
je te demande,
     à Toi qui as vaincu la mort,
     à Toi qui es la Vie,
de donner Ta vie à ceux qui l'ont perdue,
de la leur donner pour toujours
        en plénitude
        en beauté
        en bonheur !
Je te prie pour ceux qui restent
     pour la famille d'Adrien,
     pour Louise :
Au milieu de leur douleur,
     aie pitié d'eux.
Par-delà leur détresse,
     sois leur consolation
     dans une espérance à toute épreuve.
Qu'ils sachent de façon certaine
     qu'un jour ils seront à nouveau réunis
     et que jamais, plus jamais,
     ils ne seront séparés !
Que ton amour inlassable et déroutant
     nous enveloppe tous
       à jamais !
       Amen.

Le Seigneur Dieu
     fera disparaître la mort
       pour toujours;
Il essuiera les larmes
     sur tous les visages.
Il l'a dit, Lui, le Seigneur.

(Is 25, 8)

Oh ! Dieu ...

J'ai pris dans ma main
    une feuille d'érable,
    une simple feuille,
    qui reposait sur le sol,
    au pied de l'arbre,
    écarlate et pourpre,
    dorée et rouillée,
    comme les teintes du couchant.
Mes doigts ont vu ses couleurs
et mes yeux ont palpé son tissu :
    un monde de beautés,
    un univers de splendeurs,
    là dans ma main,
    là dans mes yeux !
Oh ! Dieu, que tu dois être beau !

J'ai pris entre mes doigts,
    une rose,
    une toute petite rose,
    qui poussait au bord du ruisseau,
    doucement,
    humblement,
    au grand vent,
    dans sa robe de beauté !
Mes doigts la retournaient en tous sens :
    de partout, elle était toujours aussi radieuse .
Ses parfums n'avaient rien à envier à Chanel ou Dior !
    une petite merveille,
    là entre mes doigts,
    là dans mes yeux !
Oh ! Dieu, que tu dois être magnifique !

J'ai pris entre mes bras
    un petit d'homme,
    un tout jeune bébé
    qui me regardait
    qui me souriait ,
    faible et fragile,
    plein de vie,
    riche en promesses !

Une vie qui commence !
Le fruit de l'amour !
    là dans mes bras,
    là dans mes yeux,
    là sur mon cœur !
Oh ! Dieu, que tu dois être Amour et Vie !

Vieillir et... l'accepter!

Irène n'a plus vingt ans !
Elle n'en a même plus quarante !
Comme tout le monde,
      elle a vieilli d'une journée par jour,
          d'un an par année !

Quand elle était jeune,
      Irène vous faisait de ces journées !
      du matin au soir, elle travaillait !
      elle digérait bien et dormait bien !
      jamais essouflée !
      toujours disponible pour la grosse besogne !

Mais, voilà que maintenant...
      son corps ne la suit plus;
      elle s'essouffle à rien,
      elle fait des rhumatismes,
      elle dort mal...
      bref, elle n'a plus l'endurance et la résistance d'autrefois.
C'est normal de ralentir un peu quand on vieillit.
Le problème, pour Irène,
      c'est qu'elle n'accepte pas sa situation.
      Irène voudrait avoir la force et l'agilité de ses
          filles de vingt ans;
      elle voudrait monter les escaliers aussi vite qu'avant,
          laver ses planchers comme avant,
          etc.

Accepter d'être moins capable qu'avant,
      d'être moins utile apparemment,
      de ralentir,
      de vieillir...
    c'est un art pas facile !
    mais, il faut l'apprendre...

sous peine de vieillir bien mal !

Retrouver en sagesse
    ce qui se perd en force !
Retrouver en patience
    ce qui se perd en vigueur !
Transformer sa faiblesse grandissante
    en nouvelle force plus spirituelle !
Et... savoir qu'un jour
    cette vie qui s'en va sera renouvelée en perfection,
    en plénitude !

Bénis le Seigneur,
    ô mon âme !
      Lui qui te guérit de toute maladie,
      qui rassasie de biens tes années;
et, comme l'aigle, ta jeunesse se renouvelle.
(Ps 103, 1.5)
Les jeunes gens se fatiguent et se lassent,
il arrive aux jeunes hommes de chanceler.
Mais ceux qui espèrent en Dieu
renouvellent leurs forces...
ils courent sans lassitude
et marchent sans fatigue.
(Is 40, 30-31)

Les jours extraordinaires

Il y a des jours dans la vie
        qui sont vraiment extraordinaires:
    anniversaires, promotions, retrouvailles,
    fiançailles, etc.
Il y a aussi des jours bien ordinaires:
    petite routine quotidienne,
    grisaille de la vie,
    monotonie du travail...

« Il n'y a d'extraordinaire
        que l'amour de Dieu » !
Les jours que tu vis,
        grands ou petits,
si tu les vis en aimant Dieu
        à chaque moment,
alors, ce sont des jours vraiment extraordinaires.
Mais,
si tu ne les vis pas dans l'amour de Dieu,
alors, ce sont simplement des jours ordinaires [1].

[1] D'après une parole de Chiara Lubich, fondatrice des Focolari.

Ma belle azalée ou hypocrisie

À Noël,
    Stéphanie me fit cadeau d'une magnifique azalée :
    « Tu aimes les plantes,
    et chez toi mon azalée sera aux petits soins. »
Ah ! qu'elle était belle la plante de Stéphanie
    et qu'elle poussait de belles fleurs !
Que ma maison éclatait avec un bouquet pareil !

De fait, elle eut droit à mes petits soins.
Et elle resplendissait de beauté, de couleurs, de vie.
Jusqu'au jour...
    où je découvris qu'elle était sérieusement minée
        par une colonie de petits vers :
        ils proliféraient dans le terreau,
        s'attaquaient aux racines
        et grimpaient dans le tronc.
    Mon azalée était toute piquée !

L'apparence de la bonne santé !
l'apparence de la vie !
mais la mort à l'intérieur !

Le Christ a bien stigmatisé ce genre d'homme :
    les pharisiens !
    sépulcres blanchis... pleins de vers dedans !
    hypocrisie !
    aucune transparence du regard !
    on sauve ce qui paraît !
    on pratique l'art de la façade !
    faites comme je vous dis
        et comme j'ai l'air de faire !
    mais ne grattez pas trop !
    vie double,
    visage à deux faces !

Il y aura toujours en chacun de nous
　　　du clair et de l'obscur,
　　　du vivant et du mort,
　　　c'est notre lot!

Mais ne jouons pas aux purs
　　　quand nous le sommes si peu!
Jouons plutôt aux pécheurs
　　　toujours solliciteurs du pardon de Dieu
　　　et jamais lassés de sa miséricorde!

Pardonne...

Comment veux-tu qu'on te pardonne,
    si tu ne pardonnes jamais,
    si tu gardes rancune?
Il faut apprendre à pardonner
    l'injure,
    l'affront,
    la calomnie,
    la médisance.
Car, un jour,
    toi aussi tu quêteras à d'autres
                leur pardon,
      pour tes bêtises,
        tes erreurs,
        tes maladresses.
Et il est bien plus facile de pardonner
         que d'être pardonné!
    il y a quelque chose de grand
            et de grandissant
      à pardonner!
    alors que demander pardon
    est toujours difficile et humiliant!

Car c'est reconnaître sa faiblesse
         son péché
     devant l'autre.
Et pourtant,
    quand on se sait pardonné
          par l'autre,
          par l'offensé,
    comme on est bien!

Pardonner et demander pardon,
    cela s'apprend !
Cela s'apprend
    en pratiquant le pardon
        celui que l'on donne
            dans son cœur,
            en paroles,
            en actes,
            chaque fois que le Seigneur le demande !
        celui que l'on sollicite aussi,
            humblement,
            sincèrement !
Cela s'apprend aussi
    en priant Celui qui a tout pardonné !
    en Le contemplant, Celui-là
        pour qui l'amour sera toujours
        plus fort que nos manques !

Seigneur,
    je suis devant Toi ce soir
        blessé,
        humilié,
        frustré !
Celui que j'aimais comme un frère,
    m'a ignoré,
        délaissé,
        trahi !
Il ne m'a pas compris,
        accueilli,
        écouté !
Il m'a laissé tomber,
    quitté,
    abandonné !
Je suis seul... meurtri, cassé, crucifié !
Mais Tu es là avec ton amour inlassable !
Apprends-moi
    à pardonner comme Tu l'as toujours fait !
        Amen.

Saint Charbel

Rome...
Le Pape a canonisé un moine du Liban,
                    un ermite,
                         Charbel Makhlouf.

Il vivait dans une grotte,
     dormait sur la dure, par terre,
     mangeait une fois par jour,
     portait un cilice...
Il passait des heures en adoration
              devant le Saint-Sacrement...
Il ne parlait presque jamais.
Une vie totalement consacrée à Dieu
        dans la prière,
        dans le silence,
        dans la pénitence !

Le Saint-Père
    a invité le monde entier
        à l'invoquer comme un saint
        et à l'imiter.

Le prier... d'accord !
Mais l'imiter... comment ?
     on ne peut pas se faire moine,
           encore moins ermite !
       comment faire le silence dans nos vies agitées ?
     on ne peut pas passer son temps à l'église !
       comment trouver Dieu dans notre monde de choses ?
     on ne peut pas se contenter d'un repas par jour, coucher
         sur le sol... quant au cilice !
       comment faire pénitence dans notre siècle de confort ?

Et si Dieu se trouvait au plus intime de notre cœur !
  si je pensais à Le prier
        quand seul, en auto, je m'en vais au travail ,
        quand seule, je balaie la maison !
  si je faisais taire ces compagnons artificiels qui s'appellent
        radio et télévision,
        pour retrouver, au cœur du silence,
             le Dieu qui m'habite !
  si je reconnaissais Sa présence
        au cœur des gens
                qui montent avec moi dans l'ascenseur,
                qui sont pris dans le trafic à l'heure de pointe,
                qui me croisent dans les corridors ou sur la rue ,
                qui sont mes camarades de travail,
                les membres de ma famille !

Et si ma pénitence s'appelait
  le bruit du trafic intense
        qui passe sous ma fenêtre,
        qui m'empêche presque de penser
             et parfois de dormir ,
  l'air vicié des grandes villes ,
  l'ennui d'un travail routinier ,
  le cri perpétuel des enfants ,
  les devoirs à faire chaque jour .
  le fait d'être toujours seul, de n'être jamais visité, d'être oublié ,
        l'épreuve,
        la maladie,
        la séparation,
        la mort ,
  et si je supportais, j'acceptais, j'offrais tout cela dans l'espérance !
Eh bien !
  je pourrais imiter saint Charbel
        même aujourd'hui,
        même en restant là où je suis !
  je pourrais peut-être…
        peut-être même…
             devenir SAINT…
             comme lui !

*Vous êtes un temple
de l'Esprit.*

(I Cor 6, 19)

*Si quelqu'un m'aime,
il gardera ma parole,
et mon Père l'aimera
et nous viendrons à lui,
et nous ferons chez lui notre demeure.*

(Jn 14, 23)

Nathalie

La petite Nathalie demande à sa maman :
    « Maman, comment gros tu m'aimes ? —
    Gros comme ça ? »
Et Nathalie étend ses bras aussi loin qu'elle peut.
Maman sourit à la bambine de trois ans :
    « Ma belle Nanou, maman t'aime encore plus que ça ! »
Et à son tour, elle ouvre ses bras pour accueillir Nathalie.
Alors, spontanément, la petite se précipite
    dans les bras maternels.
On s'embrasse, on se serre, on rit aux éclats, on bavarde.
On s'adonne aux mille petits jeux
    que seules une maman et une petite fille qui s'aiment
    savent inventer.
Qu'elle est bien, Nathalie, dans les bras de sa maman !
Elle y trouve sécurité, chaleur, tendresse,
    bonté, compréhension, douceur...
C'est tout à fait merveilleux !

Une mère oublie-t-elle l'enfant qu'elle nourrit,
cesse-t-elle de chérir le fils de ses entrailles ?
Même s'il s'en trouvait une pour l'oublier,
moi, je ne t'oublierai jamais.

(Is 49, 15)

Voyez quel grand amour
    nous a donné le Père,
pour que nous soyons appelés
    enfants de Dieu,
car nous le sommes...
dès maintenant,
nous sommes enfants de Dieu.

(I Jn 3, 1-2)

La vraie louange

« L'encens qui brûle devant une idole
souvent la noircit » (proverbe chinois).

Les hommes ont tous besoin
d'être reconnus dans ce qu'ils disent,
dans ce qu'ils font,
dans ce qu'ils sont.
Les félicitations, les louanges,
l'admiration,
valent tous les toniques
et
toutes les vitamines !
Mais attention !
si l'ingratitude, la non-reconnaissance
paralysent et tuent,
la flatterie et l'encensement
en font autant !
Là, comme en toutes choses, il faut la bonne dose !

Et nous disons à Dieu :

Seigneur, notre Seigneur,
que ton nom est magnifique
par toute la terre.

(Ps 8, 2)

Mon âme exalte le Seigneur
et mon esprit est rempli d'allégresse
à cause de Dieu, mon Seigneur.

(Lc 1, 47)

Qu'il est bon de chanter pour ton nom,
Dieu Très-Haut!
de proclamer dès le matin ta fidélité
et ta loyauté durant les nuits.

(Ps 92, 2-3)

Et Lui nous dit :

Ne crains pas,
je t'ai appelé par ton nom,
tu es à moi...
tu comptes beaucoup à mes yeux,
tu as du prix,
je t'aime!
Ne crains pas,
je suis avec toi.

(Is 43, 1. 2. 4. 5)

Le merisier d'Henri
ou savoir partir

Henri possède une magnifique érablière:
trois mille arbres.

L'autre jour,
il m'invita à sa « cabane » avec une couple de familles.
Nous avons bu du « réduit » à pleines tasses
         et léché la palette à satiété.
Et puis,
nous avons savouré les mets traditionnels de la cabane canadienne:
      « couennes » de lard grillé,
      œufs dans le sirop,
      jambon...
pour finir par la tire sur la neige blanche.
Tout un régal!

Après le dîner,
Henri me dit:
« Tu viens faire la tournée avec nous! »
Car les érables coulaient... une goutte à la seconde!
Et en route!

Des érables partout... naturellement!
Des chaudières partout... également!
      débordantes d'eau sucrée!
À un détour du sentier de forêt,
nous nous trouvâmes tout à coup
        devant un paysage particulier:
    des érables poussaient, bien sûr,
        mais plus frêles que partout ailleurs,
    et au beau milieu d'eux
     se dressait, fier et majestueux,
      comme un roi,
    un énorme merisier!
   qu'il était beau ce titan!
     écorce presque blanche, frisée, abondante!
     un tronc si gros que les bras fermés n'en faisaient pas le tour!
     un panache superbe!

Un véritable monarque de la forêt
    régnant sur ses sujets environnants !

Je ne croyais jamais si bien dire !
« Tu vois ce gros merisier,
    me dit Henri,
il prend toute la place,
il empêche mes érables de profiter :
sa tête fait tellement d'ombre
    que le soleil ne réjoint pas mes érables ;
ses racines sont si nombreuses
    qu'elles accaparent toute la nourriture du sol ;
je vais le couper l'hiver prochain ! »
    « Tu ne vas pas abattre ce beau spécimen ! »
    lui dis-je spontanément.
Il me répondit :
    « Ici, on fait du sirop d'érable,
                    pas de merisier !
    Mes érables doivent pousser
    et il leur nuit.
    Cela a assez duré.
    Il sera tout au plus bon pour du bois de chauffage.
    Vois-tu, c'est ça la vie ! »

« C'est ça la vie ! »

Parmi la masse des hommes
il en est toujours qui émergent :
    richesse de l'intelligence,
    grandeur des œuvres,
    profondeur de l'influence,
    puissance des intuitions...
Les fondateurs,
    les chefs de communautés ou de peuples,
        les leaders naturels,
    sont ordinairement de cette trempe.
Les potentats,
    les dictateurs,
    les tyrans... aussi !

Il y a les détenteurs du pouvoir,
        mais aussi ceux de la pensée,
                de l'action,
                de l'affection !
Après avoir donné de l'ombre,
                de la fraîcheur,
                de la vigueur,
        à leur entourage,
                parce qu'ils ne savent plus partir,
ils finissent par l'étouffer,
                par l'empêcher de grandir,
                        de s'épanouir !
Ils deviennent jaloux,
                soupçonneux,
                ombrageux,
                grincheux,
                tâtillons !
Ils passent du service au pouvoir,
                du partage à la possession,
                de l'amour à l'accaparement,
                de l'autorité à la tyrannie,
                de la confiance à la méfiance,
                de la magnificence à la dictature !
Ils prennent racine à vie,
        deviennent indélogeables,
        se bétonnent dans leurs fonctions !
Ils sont tout surpris
        que d'autres veuillent eux aussi
                        leur place au soleil
                        et leur petit coin de terre !

En somme,
ils ne savent pas partir à temps !
Il faut alors les déraciner,
                couper leur feuillage...
        parfois tout doucement,
        et alors,
                c'est la « mise au garage »,
                c'est la voie d'évitement
                        (titres honorifiques,
                        postes sans vraies responsabilités,
                        les « arabesques » de Peter),

parfois brutalement
et alors, c'est l'abattage en règle forcément inattendu,
toujours douloureux,
terrifiant,
crucifiant.

Avis est donné
aux pères et aux mères fondateurs,
aux chefs,
aux leaders...
qui se croient éternels :
« Sachez partir à temps,
ne vous enracinez pas à vie,
laissez la place aux jeunes pousses...
Le monde a tourné avant vous,
il tournera bien après vous !
Faites confiance à d'autres qu'à vous-mêmes.
Autrement,
vous deviendrez encombrants,
vous tyranniserez tout le monde,
avec la meilleure intention qui puisse être !
vous imposerez votre dictature,
qu'elle soit de velours ou de fer !
Tous s'en apercevront et en souffriront
sauf vous !
En pleine face
ou dans votre dos,
on vous le fera savoir
et on vous abattra !
Sachez à temps
devenir un vieillard sage et saint
plutôt
qu'un despote gâteux et grincheux ! »
On dit que le bon vin quand il vieillit,
devient encore meilleur !
Il y a de grands crus qui ont goût de ciel.
Mais il y a des vins qui tournent au vinaigre :
ils ont goût d'enfer !

---

*Il vaut mieux pour vous
que je m'en aille.*

(Jn 16, 7)

*Si le grain de blé ne meurt pas,
il reste seul.*

(Jn 12, 24)

Équilibre...

On est en équilibre
quand on ne tombe pas!

Tu es bien assis dans ton fauteuil:
tu es en équilibre!

Tu marches ou tu montes un escalier:
tu es en équilibre!

Et pourtant la différence est énorme!
Dans ton fauteuil,
tu n'avances pas.
Dans l'escalier,
tu montes.
Les savants disent:
l'équilibre est
    ou statique (le fauteuil)
    ou dynamique (l'escalier).

Toute la vie est affaire d'équilibre dynamique,
car elle est marche en avant.

Quand tu marches ou montes l'escalier,
        tu as remarqué que tu es toujours
        sur une seule jambe!
        c'est la condition pour avancer:
        si tu ne lèves pas le pied,
        si tu ne prends pas le risque du déséquilibre,
        si tu n'as pas l'audace d'essayer,
        si tu n'as pas confiance en ta capacité
        de retrouver l'équilibre,
        d'avancer,
        tu resteras toujours cloué sur place!

    La vie est faite de risques, d'audace, de confiance!

    C'est le prix de la croissance!

Lassitude...

Seigneur,
> *je ne sais plus où je vais,*
> *je tourne en rond,*
> *je piétine sur place !*

Tout allait bien,
> *j'avais du goût à travailler,*
> *les projets ne manquaient pas !*
> *le goût de vivre,*
>> *de produire,*
>>> *je l'avais !*

Et puis voilà qu'une tuile m'est tombée sur la tête !
> *voilà aussi que ma santé a flanché !*
> *tant il est vrai qu'un malheur ne vient jamais seul !*

Me voici devant Toi
> *vidé,*
> *anéanti,*
> *sans enthousiasme,*
> *sans goût pour travailler !*

Je me cherche !
Et je Te cherche !
> *où veux-Tu me conduire ?*
> *qu'est-ce qu'il y a dans Ton cœur pour moi ?*

Donne-moi
> *de Te reconnaître à travers les chemins*
>> *de ma vie !*
> *de porter ma croix avec la Tienne !*
> *de découvrir ce que Tu attends de moi dans ce tunnel !*

Et que ta volonté soit faite !
> *Amen.*

Ton club...

Il y a des gens qui font partie
    du club des gueules-de-bois!
D'autres sont depuis longtemps
    dans le clan des « critiqueux » !
Certains sont membres
    de l'équipe « cœur-joie » !
Les uns se disent
    des « fans » de la non-violence !
Les autres crient :
    « Vive l'anarchie ! »

Et toi?
    Dans quel club es-tu?
    De qui te réclames-tu?
    Où les gens te classent-ils?

Prière simple

Seigneur,
    tu me connais
        mieux que moi-même !
    tu sais ce qu'il y a en moi
        de bon,
        de moins bon,
        de pas bon !
    toi seul es capable d'en faire le tri !
Accueille-moi dans ton amour !
Purifie-moi dans ta bonté !
Approche-toi de moi
    pour que je sois près de toi
        et près des autres !
Et que ta paix et ta joie soient toujours avec nous !
    Amen.

Sommaire